HET JAAR VAN DE DRAAK

Het jaar van de draak

GERDA VAN ERKEL

For the loser now
Will be later to win
For the times they are a-changin'...
BOB DYLAN

For those who come to San Francisco
Be sure to wear some flowers in your hair
If you come to San Francisco
Summertime will be a love-in there
SCOTT MCKENZIE

1989

Ik ben niet bijgelovig, al een hele tijd niet meer. Anderen van mijn volk beweren dat het moet begonnen zijn bij zijn geboorte, in het jaar van de draak, al hebben we ongebroken slierten noedels gegeten voor een lange levensdraad, en bovendien had zijn naam hem moeten beschermen.

Tao was een drukke, levendige baby. Hij had weinig slaap en veel afleiding nodig. Mijn moeder had haar handen vol aan hem. Op elf maanden kon hij lopen en toen hij begon te praten, was dat niet met losse woordjes, maar meteen met hele zinnen en zonder blad voor zijn mond. We raakten hem ook voortdurend kwijt. Als hij in de verte iets hoorde wat zijn aandacht trok, ging hij eropaf zonder op ons te wachten, vaak zelfs zonder iets te zeggen. Als er niets gebeurde, zorgde hij zelf voor leven in de brouwerij. Iedereen was het erover eens dat mijn broer zijn teken alle eer aandeed. Hij zou het ver schoppen. De wereld zou nog van hem horen. Mijn ouders glommen van trots.

Ik was zes toen hij geboren werd. Hij was een levende pop die ik in bad mocht helpen doen. Hij maakte me aan het lachen en soms kon ik hem wel vermoorden, als hij van mijn huiswerk of een tekening weer eens boten of vliegtuigjes vouwde, of speren om mee op de duistere, bijna onoverwinnelijke wezens van zijn grenzeloze verbeelding te jagen. Zo zou hij niet alleen ons gezin maar de hele wereld, van poolkap tot poolkap, beschermen. Er ging ook geen week voorbij zonder dat hij een of ander ongeluk kreeg. Hij liep aanhoudend builen en schrammen op, maar altijd kwam hij op zijn pootjes terecht. Zorgen maakte ik me niet, waarom zou ik? Mijn ouders waren er. Zij losten alles op.

Misschien keerde het tij met het lentefestival, zoals wij in China ons Nieuwjaar noemen, in dat fatale jaar 1982. Dat is wat mijn moeder later zei, voor het verdriet haar verstand opat. Dat het was alsof Nian, nadat hij na zijn diepe winterslaap op zijn logge, geschubde poten uitgehongerd en breed gapend uit de zee op het droge was gekropen, ons huis had uitgekozen en zich daar had verstopt tot het feestgedruis geluwd was en bijna al het rood, dat voor geluk en voorspoed moest zorgen, weer voor een jaar was opgeborgen. Nian was tien keer zo groot als ons huis, toch kon hij verdwijnen in het oog van een naald.

Negentien ben ik nu. Ik weet dat Nian alleen in de legende bestaat en dat je banger moet zijn voor de menselijke weerwolven, die zelfs niet op de vollemaan wachten als hun macht hongert naar bloed. Maar toch. Je hart en je buik geloven vaak in andere wetten dan je hoofd. Je zoekt een verklaring om je minder machteloos, minder schuldig en daardoor misschien zelfs minder verteerd door verdriet te voelen. In elk geval werd toen een ketting van gebeurtenissen op gang gebracht, waarvan niemand op dat ogenblik de omvang en de afloop kon vermoeden.

1982

Mijn moeder laat een ei vallen. Even staat het huilen haar nader dan het lachen. Ze heeft een hele week geschrobd en geboend om het huis te laten blinken en moet je zien! Ze wordt nog gek van Tao. In het drakenpak dat hij van oma en opa gekregen heeft, rent hij haar voortdurend voor de voeten, onder het uitstoten van een oorverdovend gebrul, om dan een mond vol vuur te spuwen. Hij komt met zijn tong tot bij de punt van zijn neus. Ondanks alles moet mijn moeder lachen. Ze scheurt een stuk keukenpapier af en begint de eiblubber op te deppen.

'Trek een jas aan en ga buiten spelen', zegt ze tegen Tao. 'Straks krijg je kokende soep of olie over je heen.'

Mijn broer heeft stoppen op de plaats waar zijn oren moeten zitten. Ziet ze niet dat hij een draak is? Hij moet Nian op de vlucht jagen. Of wordt ze straks liever door hem opgepeuzeld?

'Dat is maar een verhaal, Tao. En er zal meer dan genoeg vuurwerk knallen. Ga naar buiten, naar papa en opa.'

'Ik wil dat Huan meegaat.'

'Ik moet mama helpen', zeg ik.

Ik ben groot. Al twaalf. Dubbel zo oud als Tao.

'Toe, wees een flinke jongen en ga papa helpen met het ophangen van de lampions', probeert mijn moeder nog een keer.

'Als ik op de ladder mag.'

'Je mag ze vasthouden zodat papa niet valt.'

'Dat is saai. Ik haat het om klein te zijn.'

Hij druipt af, een draak met de staart tussen zijn benen. Mijn moeder schudt het hoofd en lacht naar me.

'Een geluk dat jij zo rustig bent', zegt ze.

Ze streelt over mijn haar.

We vieren het einde van de winter, als uit de buik van de aarde jong gras opschiet en de nieuwe blaadjes jeuken aan de bomen, de vogels zot zijn met hun kop al vol jongen en de bokken om de geiten draaien zoals Dingbang, onze buurjongen, om Nua, de dochter van de cafébaas op de markt. En wij draaien om opa en oma, die bij ons logeren en hun zakken en armen vol snoep en knuffels hebben, en een mond die overloopt van verhalen. We zien hen maar één schamele week per jaar. Ze wonen een dagreis ver, in het dorp waar mijn moeder geboren en getogen is, tot ze met papa trouwde en hier in het huis van oma en opa Poes moest komen wonen. Ze kon niet weten dat ze de volgende winter en een zware griepepidemie niet zouden overleven. Dat zou aan de verhuizing niets veranderd hebben. Soms vertelt papa over hen, als we in het fotoalbum kijken. En op Qingming, als we de doden herdenken, brengen we eten naar hun graf. Hun poes, die pikzwart was en een wit lapje voor haar oog had, is ook dood. Ze heette Miki en eigenlijk was ze de kat van papa. Hij had verdriet toen ze stierf, want nu had hij niemand meer van zijn eigen familie, al had hij liever een broer of een zus gehad dan een kat. In zijn tijd mocht dat nog, meer dan één kind hebben, maar zijn geboorte was al een mirakel. Oma naderde de vijftig en opa's kruin lag al als een kaal eilandje tussen zijn overgebleven haren. Mijn vader groeide van geitenmelk en alle liefde en tijd die ze moesten inhalen.

Mijn moeder vindt het vreselijk dat haar eigen ouders zo ver weg wonen en ze niet voor hen kan zorgen. Oma heeft pijn aan haar rug, ze is kromgegroeid bij het bukken naar de rijstplantjes. Gelukkig helpt opa door de was op te hangen en de vloer te vegen. Oma klaagt nooit aan de telefoon. Alles gaat goed, zegt ze. Ze lacht, maar mijn moeder kan ook horen wat oma niet zegt en dat woelt dan in haar hoofd zoals noedels in een pan kokend water. Nu zijn ze op bezoek en loopt mijn moeder te zingen. Ze zullen blijven tot na Yan Yat en het lantaarnfeest.* Voor mij hebben ze een nieuwe schooltas meegebracht. Die komt goed van pas. Ik heb al dikke boeken, ze barsten uit de oude tas zoals de cactus op de vensterbank uit zijn pot, maar die kan wachten tot na Nieuwjaar. Als je je nu prikt, heb je honderd jaar ongeluk.

Ik rol de rijstballetjes door het eiwit en mijn moeder haalt ze door de bloem. De olie rookt, de champignons mogen van het vuur en

* Yan Yat is de zevende dag van het Chinese Nieuwjaar, dat twee weken duurt. Het lantaarnfeest is de afsluiting van het Chinese Nieuwjaar, en ook een soort van Valentijnsfeest.

de vis kist in de pan onder een korstje van kruiden en broodkruim. Zodra de mannen klaar zijn, kunnen we aan tafel. Oma heeft hen al een paar keer geroepen, maar de laatste lantaarn raakt maar niet opgehangen. Dat zal wel aan de buurman liggen. Als de tongen werken, slapen de handen.

'Zeg dat ze geen dessert krijgen', raadt mijn moeder aan.

Tao komt eraan, met mijn vader en grootvader in zijn kielzog. Mijn broer glundert en steekt zijn kin uitdagend vooruit.

'Ik heb toch op de ladder gestaan. Van papa en opa mocht het lekker wel.'

Mijn moeder kijkt hen alle drie bestraffend aan.

'Hij is mijn zoon', vergoelijkt papa. 'Hij moet sterke schouders krijgen.'

'En hij is mijn kleinzoon', valt opa hem bij. 'En een draak. Je zou beter trots op hem zijn.'

'Jaja, en straks breekt hij zijn nek. Je weet toch dat draken moeten oppassen voor overmoed?'

'Ik was er toch', sust papa. 'Ik pas wel op.'

'En hij heet Tao', zegt opa. 'Hij wordt zo oud als Confucius.'

'Dat zal wel. Ga je handen maar wassen', zegt mijn moeder. 'Zo komen jullie niet aan tafel.'

Tao snuift verachtelijk.

'Mama is bang. En oma ook. Meisjes zijn bange muizen.'

'En ik?' vraag ik.

Hij aarzelt. Er zijn wel wat dingetjes die ik kan verklikken.

'Jij niet', geeft hij toe. Hij kijkt me aan met listig dichtgeknepen oogjes. 'Maar jij bent nog niet oud.'

Hij loopt hard weg. Mijn moeder doet of ze hem achterna wil. Ze lacht.

'Ik krijg je nog wel!' roept ze hem na. 'Pas maar op!'

Vandaag is het oudjaar. Traditiegetrouw moet iedereen in een bad met citroenblaadjes, daar is mijn moeder streng op. Ze schrobt Tao, die brult dat hij dat wel alleen kan, achter de oren en tussen de tenen.

'Zie maar dat Tsao Chun je niet hoort', waarschuwt ze. 'Zijn koffer staat gepakt. Hij zal het aan de hemelgod vertellen en die zal je straffen.'

'Poeh! Niets van! Tsao Chun is doof, hij is van karton.'
'Daar zou ik maar niet te zeker van zijn.'
'En trouwens, zijn portret hangt in de keuken, boven het fornuis. Hij kan niet door de muren kijken, dommie!'
'Je bent een wijsneus. Ik vertel het hem wel.'
'Dan vertel ik dat je zeep in mijn ogen wrijft.'
Later op de dag betrap ik hem. Hij is eerst op een stoel en zo op het aanrecht geklommen. Als hij op zijn tenen staat, kan hij net bij het portret van de keukengod. Met zijn vinger smeert hij hem honing om de mond.
'Dat noemen ze omkopen, broertje!'
Hij schrikt. Bijna valt hij. Hij balanceert even op één been en zet een plakkerige hand tegen de keukenkast.
'Papa geeft Tsao Chun wel wijn te drinken!' verdedigt hij zich. 'Ik heb het zelf gezien.'
Ik maak een spons nat en geef ze hem.
'Schoonmaken, jochie!'
'Jij moet dat doen. Jij bent een meisje.'
'Hoor je dat, Tsao Chun?'
'Hoor je dat, Tsao Chun?'
'Aap!'
Tao boent driftig de kast schoon. Daarna gooit hij de spons naar beneden, net niet in mijn gezicht. Ik moet een stuk van mijn tong bijten om niet te snauwen dat hij naar de maan mag lopen. In deze tijd van het jaar hebben de geesten extra grote oren, ze doen alles wat je vraagt.
Mijn broer is een kruitvat met een kort lontje, maar de brandjes zijn meestal snel geblust. Hij maakt een tekening voor me om het goed te maken.
'Met heel veel rood, Huan, kijk maar. Je kunt je geluk niet op. Wat is geluk?'
'Alles waar je blij van wordt.'
'Dan wil ik een fiets. Met een bel. En een ridderkasteel met een brug die je kunt ophalen en tijgers die de poort bewaken. Jij mag ook meespelen. Dan ben jij de jonkvrouw en ik kom je met mijn kromzwaard redden uit de handen van de zwarte magiër.'
'Je kijkt te veel tv.'

'En jij, Huan? Wat wil jij?'
'Dat we allemaal gezond blijven en van elkaar houden.'
Dat vindt Tao net zo vanzelfsprekend als de zon die iedere dag opkomt, zelfs als ze zich achter haar masker van wolken verstopt en het wekenlang regent.

De negen gerechten voor de goden en de voorouders staan in kleine kommen op het huisaltaar uitgestald, met extra mandarijnen en sinaasappels erbij. Mama, oma en ik hebben het weer klaargespeeld. Het feest kan beginnen. We dansen en buigen en buigen nog meer en zwaaien met de wierookstaafjes die Tao mocht aansteken. Hij is door het dolle heen en stoot bijna de vaas met de bloemen om.
'Kijk toch uit, jongen!' schrikt oma. 'Ik heb een buurvrouw die ooit op Nieuwjaar een spiegel brak en ...'
'Stil, moeder! Niet zeggen!'
Mijn grootmoeder stopt midden in haar zin en draait berouwvol haar mond op slot. Tenzij de honger hem openbreekt, zul je haar vandaag geen domme dingen meer horen zeggen. We kunnen maar beter aan tafel gaan. We eten gerookte eend met zwarte bonen en pruimensaus. Tao is een viesneus, hij wil alleen rijstcake en papa geeft hem zijn zin. Het is maar één keer oudjaar. Mijn moeder knijpt haar lippen op elkaar. Straks is Tao weer ziek, zoals vorig jaar, en moet zij in het holst van de nacht schone lakens op zijn bed leggen. Ik ben niet zo gek op rijstcake, maar een klein stukje niangao moet, voor een zoet leven, waarbij ik me zoiets voorstel als Dingbang die Nua kust achter de haag, met lippen van vanille en chocolade. Vroeger was Dingbang mijn vriend. Dan gingen we samen kikkervisjes vangen. Ze zwommen rondjes in een emmer en toen ze op een nacht kikkers waren geworden, was 's ochtends de emmer leeg. Dat was maar goed ook, zei Dingbang, want anders waren ze in looksaus op het bord van zijn vader geëindigd.
Papa en opa ruimen de tafel af. Tao moet helpen met de lepels en de eetstokjes, of hij tegensputtert of niet. Dit jaar mag ik voor het eerst voor de thee zorgen en dat is een eer die een huisvrouw net zo angstvallig uit handen geeft als haar eigen kind. Of toch bijna. Ik schud de blaadjes in de pot, dan giet ik er voorzichtig het kokende water op. Als de thee precies lang genoeg getrokken heeft, schenk

ik de kommen vol, zonder te trillen of te morsen. Mijn moeder en grootmoeder prijzen me uitvoerig en opa zegt dat ik een hele dame word. Hij vraagt of ik nog geen vriendje heb en ik word rood. Gelukkig redt papa me. Hij klapt in zijn handen. 'Stilte! Iedereen stil!' Waarom ben ik nerveus voor iets wat elk jaar terugkomt? Het is maar gewoon praten, zeggen dat ik van hen hou en dat ik hen een lange levensdraad wens, met veel parels en weinig kale draad.

Na mij is het Tao's beurt. Ik heb hem een versje geleerd. Hij kent het uit het hoofd en zegt het, met een stijve buiging voor en na, in één adem en zonder te haperen op. Meteen geeft hij ook de mandarijntjes die ik met geld uit mijn spaarpot heb gekocht, en mag hij dan nu zijn cadeautje voor hij sterft van nieuwsgierigheid? Ik berisp hem, maar oma en opa hebben de rode hong bao-pakjes al van achter hun rug op hun schoot getoverd. Tao steekt zijn tong naar me uit. Ik kan hem nog net tegenhouden of hij zou zijn envelopje meteen openmaken. Hij schudt ermee aan zijn oor, kijkt teleurgesteld, verontwaardigd.

'Het is een foppakje. Er zit niets in.'

'Papiergeld, dommie. Dat is meer waard dan een hoop munten bij elkaar.'

Hij gelooft me niet. Munten blinken zo mooi. Ik hoop dat ik genoeg gekregen heb om er op de markt een armband voor te kopen.

De stoet laat lang op zich wachten. Dat is niets voor mijn broer. Hij begint te jengelen en overal aan te prutsen en brandt zijn vingers aan de weke was van de kaars, die gaat walmen. Straks valt ze om, zie ik oma denken. Ze vraagt zich vast af waar de emmers staan om te blussen, maar ze heeft nog altijd dat slot op haar mond. En ze vindt dat papa het verkeerde voorbeeld geeft door een opgerold reepje zilverpapier in de vlam te houden. Mannen blijven kwajongens, opa ook als je hem laat doen. Tao zuigt op zijn vingers, hij kan ze beter onder de koudwaterkraan houden. 'En nu overal afblijven of naar bed', dreigt mama, als ze met hem uit de keuken komt. Ze werpt een strenge blik naar papa, die deze keer wijselijk zwijgt. Mijn broer kruist zijn armen en gaat zitten mokken, met een mond vol duistere vervloekingen die hij maar met moeite achter zijn tanden kan houden. Soms hoor ik hem iets sissen, maar als je dan naar hem kijkt, knijpt hij zijn lippen op elkaar voor zijn tong kan ontsnappen en mama hem bij zijn kraag grijpt en naar bed stuurt. Zijn ogen vallen af en toe dicht. Eindelijk horen we de muziek. Tao springt op als een bal die stuitert en is het eerst buiten, in zijn drakenpak. Hij wil geen jas aan, al is het maar vijf graden Celsius. Slaap heeft hij in één klap ook niet meer.

Op kop komen de trommen, die je hart sneller doen roffelen, van rommedebom rommedebom, tot tegen het strakgespannen vel van je keel, gevolgd door mannen in vervaarlijke leeuwen- of drakenpakken. Er zijn vuurspuwers en steltlopers, en de wagen met de blauwe walvis die nog gebouwd werd door de over-, over-, overgrootvader van Dingbang die liever zeeman dan rijstboer was geworden, maar van 'liever' sterven je ouders. Dingbang zit schrijlings op de rug van de vis, met de lans in zijn handen, en iedereen aan de kant die niet wegduikt, spuit hij nat. Tao daagt hem uit door vuur uit zijn mond te spuwen dat het water doet kissen. 'Straks krijgt hij een longontsteking', jammert oma, terwijl iedereen rode slingers en confetti gooit. Helemaal aan de staart van de stoet danst en kronkelt de grote gele draak, waaronder wel twaalf mannen moeten lopen. Hij probeert Tao bang te maken, maar mijn broer schatert het uit.

'Pak me dan, als je kan!'

En weg is hij, voor we hem kunnen tegenhouden en sneller dan de draak die zijn vierentwintig voeten eerst met alle tenen in dezelfde richting moet krijgen.

'Hij komt wel terug,' sust opa. 'Het dorp is niet zo groot en iedereen kent onze snuiter.'

'Maar het is donker', zegt mama. 'Misschien schrikt hij van het vuurwerk.'

'Dat betwijfel ik', lacht papa. 'Maar ik zoek hem wel.'

Ik ga mee. Ik ben klein en lenig, ik kan overal tussen glippen. Na heel wat zoeken vinden we hem op het plein. Zich van geen kwaad bewust staat hij tussen de knieën van de buurman, die hem leert trommelen.

'Ik kan de stokken in de lucht gooien en weer opvangen', pocht hij. 'Kijk maar!'

'Ik zal jou eens omhooggooien', dreigt papa. 'Ons zo ongerust maken.'

Hij zwiert Tao omhoog en zet hem op zijn schouders.

❋❋❋

Het portret van Tsao Chun is verbrand en hijzelf is met de rook naar de hemel vertrokken. Ook het monster Nian is naar de verraderlijke diepten van de zee teruggekeerd, opgejaagd door het vuurwerk en de honderden lichtjes van het lantaarnfeest. Hij ademt traag in zijn slaap, maar twee keer in en twee keer uit per dag, met een buik die rijst en daalt, en die luchtstroom doet het water keren, eb en vloed, eb en vloed. En soms krijgt hij zeewier in zijn neusgaten, hij niest en het is storm, snot schuimt op de golven, maar niet vandaag, de verweerspreuken op de rode papierstroken aan de gevel hebben alle boze geesten verdreven.

De feestversiering is weer voor een jaar afgebroken en opgeborgen. Het dorp ziet er kaal en mistroostig uit, zoals een geplukte kip, nu het bezoek vertrokken en uitgewuifd is. Hier en daar staat iemand verloren in een donker raam naar een verlaten weg te kijken, alsof er zo meteen toch iemand kan verschijnen die zich bedacht heeft en rechtsomkeert heeft gemaakt. Wij hebben opa en oma naar de trein gebracht. Mama heeft zich flink gehouden tot ze uit het zicht verdwenen waren, daarna heeft papa haar in zijn sterke armen genomen voor haar huid zou scheuren als een waterzak tjokvol verdriet. Goed en wel terug thuis klom Tao op de ladder, die nog tegen het muurtje stond, viel eraf en alles was weer bij het oude. Hij hield er alleen een buil en een kwartier straf staan aan over, geen schrik. Van schrik blijf je haken aan de rok van je moeder, die van de keuken naar het rijstveld loopt en op zondag naar de markt. Ik stop mijn boeken en schriften in mijn nieuwe schooltas en mama legt de messen en de scharen, die het geluk aan stukken hadden kunnen snijden, weer in de keukenlade. Straks komt Tsao Chun terug uit de hemel om weer een jaar over ons te waken. Het leven herneemt zijn gewone gang.

Ik heb twee beste vriendinnen. Eigenlijk is Mei-Lan mijn aller-, allerbeste vriendin, maar dat hoeft Feng niet te weten, want ze zou er een drama van maken. Dat doet ze voortdurend, muggen opblazen tot olifanten. Mei-Lan kan het niet deren, maar mijn moeder, die het niet zo op haar begrepen heeft, zegt dat Mei-Lan makkelijk praten heeft. 'Verwend maakt verwaand', zegt ze. Ik weet niet goed wat mama daarmee bedoelt. Mei-Lan blaakt van zelfvertrouwen, maar wat is daar mis mee? Ze heeft ook altijd ideeën zat. En ze is grappig. Feng is zo bloedserieus.

Vandaag ben ik laat. Tao treuzelt altijd onderweg. Hij heeft een kikker gezien of hij wil absoluut in een boom klimmen. Vorige week heeft hij zo een scheur in zijn jas gemaakt. Mama was boos. Papa zei 'beter een scheur in zijn jas dan in zijn hoofd', maar hij verbood Tao toch om voortaan nog met zijn goede kleren in de bomen te klimmen. 'En luisteren naar Huan', voegde mama eraan toe. Achter haar rug trok hij een scheef gezicht naar me.

Vandaag heeft hij iets nieuws bedacht. De plassen op de weg zijn krokodillen. Het heeft de hele nacht geregend. We moeten over ze heen springen of ze eten ons op. Een grote krokodil krijgt hem te grazen en nu is hij een paar tenen kwijt, dus moet ik zogezegd met hem naar het ziekenhuis. Schoen uit, sok uit, opereren, sok en schoen weer aan. Als we niet voortmaken komen we te laat. Hij scheldt me uit voor stomme zus. Zie ik niet dat hij hinkt en op zijn tanden bijt van de pijn? Iemand anders was in zijn plaats flauwgevallen. Iemand anders had hem in mijn plaats laten staan.

Mei-Lan en Feng staan wat apart op de speelplaats. Ze hebben het druk en zien me pas als ik al voor hun neus sta.

'Moet je horen, Huan', klampt Mei-Lan me meteen aan, maar dan gaat de bel en moet ik tot aan de pauze proberen om mijn hoofd eerst bij breuken en daarna bij de rivieren en zijrivieren van China te houden die, volgens mevrouw Wei, voor het land zijn wat aders en slagaders voor ons lichaam zijn. Als we ze fout invullen op de blinde kaart ... Ze maakt haar zin niet af.

Een neef van Feng, die in Beijing woont, is gearresteerd. Hij studeert er aan de universiteit en is vannacht betrapt toen hij protestbrieven tegen de muren plakte. Iedereen weet wat dat betekent, al komt het zelden of nooit op het tv-journaal of in de krant en spreken volwassenen er alleen fluisterend over, net genoeg om hun kinderen te waarschuwen dat ze hun tong zeven keer moeten ronddraaien in hun mond voor ze spreken. Papa zegt dat het goed is dat Mao en zijn aanhangers hun verdiende straf hebben gekregen, want de Revolutie heeft het land zo arm gemaakt als de lege hand van een bedelaar, maar dat we met Deng Xiaoping een dode mus kregen. De vrijere handel met het westen maakt wel dat onze maag niet langer tegen onze ruggengraat plakt van de honger en rijk worden is geen schande meer maar een nobel doel, maar het is niet omdat je een pink krijgt dat je ook recht op een arm zou hebben. Deng blijft de touwtjes stevig vasthouden, zelfs nu hij officieel een stapje achteruit heeft gezet. Wie niet naar zijn pijpen danst, hangt.

'Wat hebben ze met je neef gedaan?' vraag ik aan Feng.

'Hij zit in de gevangenis. Misschien komt hij snel vrij, maar misschien ook niet. Heel waarschijnlijk niet.' Ze piept als een muis. 'Mama is bang dat de politie ook bij ons zal komen. Om ons te ondervragen of het huis ondersteboven te keren.'

'Is er dan iets te vinden?'

'Papa zegt van niet, maar als ze iets willen vinden, doen ze dat toch. Hij vindt het allemaal niet eerlijk wat er gebeurt, maar hij wil niets met politiek te maken hebben. We zijn gezond en we hebben genoeg te eten, als de oogst niet tegenvalt, en binnen onze vier muren mag ieder zeggen wat hij denkt.' Zolang hij maar *denkt* dat hij gelijk heeft. Dat is overal zo. Elke moeder leert het van jongs af aan haar dochter. Een man moet je om je heupen draaien zoals een wikkelrok.

Als ik die avond thuiskom, hebben mijn ouders het ook al gehoord. Slecht nieuws loopt sneller dan goed, het zit je op de hielen, ook al probeer je nog zo te doen alsof het er niet is. Mijn moeder schept de soep uit en telt de tofuballetjes, zodat iedereen er evenveel krijgt. Papa haalt omslachtig een wimper uit zijn oog. Waar je niet over spreekt, moet te erg voor woorden zijn. Ik wil het liever ook niet weten. 'Ze trekken je nagels uit', zegt Tao. 'Of ze snijden je tong uit je mond en je sterft van de honger.' In zijn buik is nog plaats voor een tweede portie sojapudding. Ik vraag me af of de politie bij ons iets kan vinden. Die nacht zie ik de maan elk uur bleker worden tot ze sterft in de lakens van de dageraad.

Nog een paar dagen vragen we aan Feng of er al nieuws is, maar het antwoord blijft hetzelfde. Haar neef Chang zit nog altijd in de gevangenis, meer weten haar oom en tante ook niet. Ze zijn zelf ook ondervraagd, zes uur aan een stuk, daarna zijn ze met rust gelaten.

'Voorlopig', zei de officier, dat betekent van nu af aan bij elke stap over je schouder kijken, schrikken bij elke klop op de deur, je hart voelen overslaan als je een onverwachte hand op je arm voelt, zelfs als het die van je eigen vrouw is. Bij Feng thuis is de politie niet geweest. Haar ouders durven wat dat betreft voorzichtig weer adem te halen. Ze hebben andere zorgen aan hun hoofd, een roofdier heeft een kwart van de jonge rijstplantjes vertrapt. 's Nachts houdt haar vader een week lang de wacht, maar het dier komt niet terug en is het niet vreemd dat het niet bij de buren is geweest? Misschien was het toch een waarschuwing: we zijn vlakbij, we kunnen je pakken.

Na een tijd praat Feng alleen nog over haar neef, elke ochtend opnieuw, tot Mei-Lan het zo beu is dat ze op een dag uitbarst. 'Je klinkt zoals weduwe Weng,' zegt ze, 'altijd klagen en jammeren, vraag maar aan Huan.' Ik aarzel, overrompeld zeg ik 'ja, maar...' 'Heb ik gelijk of niet?' vraagt Mei-Lan ongeduldig, kribbig zelfs, en Feng kijkt al naar de grond in plaats van in mijn ogen. En eigenlijk is het ook wel zo dat ik me voor haar wil verstoppen telkens als ik haar op me zie afkomen en ze haar mond opendoet als een dijk die scheurt en de woorden komen als tonnen, tonnen water. Feng slikt de rest van haar woordenvloed in, maar nu lopen haar ogen onder water. Haar glimlach spartelt heldhaftig.

'Er zijn sterren die al jaren zijn uitgedoofd en toch geven ze ons nog licht', zeg ik.

Nu kijken ze alsof ík gek ben. Feng ook, ondankbaar.

'Zouden we het voor de verandering over het schoolfeest kunnen hebben', vraagt Mei-Lan. 'Zoals iederéén?'

Het was het nieuws van de dag. Het dak moet hersteld worden en daar is veel geld voor nodig. In sommige klassen regent het binnen en staat er zelfs schimmel op de muren. Mijn vader zegt al een hele tijd dat ze beter de hele boel zouden afbreken, gewoon met de grond gelijk maken, voor hij instort en er gewonden kunnen vallen. Maar hoe moet dat, als er al geen geld is voor een dak? Daar is papa's hoofd te klein voor. Hij betaalt toch meer dan genoeg om Tao en mij naar school te laten gaan?

Ik heb niet graag dat hij dat soort van dingen zegt. Of dat mijn moeder na een dag op het rijstveld zucht dat ze zo moe is dat ze zou kunnen doodvallen. Ik ben bang dat het op een dag echt gebeurt.

Zo bang dat ik 's avonds vecht tegen de slaap en mijn ogen pas mag sluiten als ik hoor dat zij en papa ook naar bed gaan.

Ze moeten hard werken, dubbel zo hard als ouders met maar één kind. In mijn klas heeft bijna niemand een broer of een zus. Ze vinden mij een bofkont omdat ik altijd iemand heb om mee te spelen. Nou, ze mogen Tao gerust af en toe een weekje lenen. Hij kan soms echt een rotjoch zijn, maar natuurlijk zou ik hem niet willen missen. Hij is alleen dom. Hij wil altijd iets nieuws en hij zeurt tot hij het krijgt. 'Je denkt alleen aan jezelf', kijf ik tegen hem. Zijn antwoord is nog dommer: 'Doe jij dat dan ook, Huan.' Papa vergoelijkt dat Tao nog klein is. Dat kan best zo zijn, maar dan moesten hij en mama beter weten. Ze zijn veel te toegeeflijk. Als ze doodvallen is het hun eigen grote stomme schuld, en wat moet ik dan?

Ik vraag alleen wat ik nodig heb voor school en op mijn kleren ben ik superzuinig. Laatst bedacht ik dat ik eigenlijk ook geen appel of koek mee hoef. Mijn moeder keek me argwanend aan. 'Je bent toch niet ziek, Huan?' Toen ik het hoofd schudde, polste ze of ik dan op dieet was. 'Zo dom zul je toch niet zijn', zei ze. 'Je bent zo dun als riet.' 'Ik heb tijdens de pauze gewoon nog geen honger', zei ik. Ik wist dat ze aan mijn gezicht kon zien dat ik loog en dat ze daar verdrietig en boos om was, maar als ik de waarheid zei, ging ze vast en zeker nog harder werken.

Ik heb zitten dromen. Ze heeft iets gevraagd. Wat onze klas op het feest zal doen.

'Een musical', antwoord ik snel. 'Volgende week zijn er audities. Ik hoop dat ik een hoofdrol krijg, maar dat wil iedereen wel. Behalve Ho, zij is te verlegen. En Kun, hij vindt het stom, maar ja, Kun is Kun. Hij vindt alles stom, alleen soldaat worden niet. Hij is zelf stom, en gek.'

'Je trekt toch niet te veel met hem op?' vraagt papa.

'En je past toch op wat je tegen hem vertelt?' echoot mama.

'Ja,ja. Hij zit gewoon in de klas. Hij trekt met niemand op. Is het waar dat zijn vader een spion is die voor de communisten werkt?'

Papa legt zijn eetstokjes neer, hij kijkt ernstig.

'Wie zegt dat?'

'Feng.'

'Het zou kunnen. Het wordt gefluisterd. In elk geval wil ik dat je er op school over zwijgt, zeker tegenover hem. Beloof het me, Huan.'

'Ja, ja, papa.' Ik ben niet dom.

'Wat zijn communisten?' vraagt Tao.

'Dat vertel ik je wel als je groot bent', zegt mama. Ze seint over zijn hoofd naar papa, tijd voor een ander onderwerp. 'Moeten jullie niets doen voor het feest?'

'Een wedstrijd zaklopen. En jullie moeten komen kijken en helpen in de kraampjes.'

'Mogen', verbeter ik hem. 'Als jullie niet te veel werk hebben.'

'Wat moet er dan gebeuren?'

'Van alles. Kostuums maken, een decor, pannenkoeken bakken, tappen ...'

'Ik zal er eens over denken', zegt papa.

Mijn moeder knipoogt steels naar me en ik weet dat het in orde komt. Ik hoop dat ik geen boom of bij moet spelen. Ik wil een schitterende jurk met veel glittertjes.

***

Vandaag eens geen regen. Overal wappert wasgoed. Het is ook uitzonderlijk zacht voor maart, met een zon die de lente nu hopelijk voorgoed uit haar tent heeft gelokt. Vogels vliegen af en aan met takjes voor hun nest. Al een paar ochtenden kwetteren ze ons wakker bij het eerste streepje licht. Oma vertelde gisteren aan de telefoon dat bij hen al kuikens uit het ei gekropen zijn.

Het is zondag en markt, dan tutten mama en ik ons op. Je moet je haar honderd keer borstelen. Het mijne is dik en het glanst als zwartgelakt hout. Mijn moeder heeft mijn vlecht gemaakt, die al bijna tot aan mijn middel komt, en er een rode zijden bloem in gestoken. Ze stond achter me en ik zag ons in de spiegel, hoe haar kleine handen aandachtig in de weer waren, trots, vol liefde. In de spiegel glimlachten we naar elkaar en ze streelde over mijn wang. 'Je bent deze winter groot geworden', zei ze. Ik mocht haar lange oorbellen lenen en toen kreeg ik ook nog haar lippenstift, die ze ineens te rood vond voor zichzelf, te jong. Veel zat er niet meer op, maar nog genoeg voor het schoolfeest binnenkort. Ik kan bijna nergens anders meer aan denken.

Mulan en Xai spelen de hoofdrollen. Eerst was ik ontgoocheld, daar ging mijn glitterjurk, maar vogelverkoopster zijn is het absolute einde. In mijn ronde houten vogelkooi zitten straks bij de opvoering echte goudvinken en kleurige parkieten. Ik heb ook een nachtegaal, maar die is niet echt. Hij is ook niet te koop en zit op mijn schouder, alsof hij elk moment kan wegvliegen maar toch liever bij me blijft. Niemand vindt de nachtegaal mooi, zo saai en grijs en onooglijk, tot hij begint te zingen. Als je ziek bent, geneest hij je met zijn gezang en wie ongelukkig is en hem hoort, gaat weer lachen. Daarom is het vogelmeisje op het paleis ontboden. De keizer en de keizerin zijn ziek en zullen sterven van verdriet omdat ze geen kinderen kunnen krijgen. De beste dokters en tovenaars van het land hebben alles geprobeerd en zijn ten einde raad. Ik ben hun laatste hoop.

Ongemerkt ben ik beginnen te zingen, zoals mijn vriend de nachtegaal. Dat werkt Tao op de zenuwen. Hij verveelt zich. Het is ook veel te druk. Je moet voetje voor voetje verder schuifelen en overal aanschuiven. Voor groenten, voor fruit, voor vis, voor nieuwe sokken. Mama vraagt of hij niet genoeg te eten krijgt. Of hij zijn sokken opeet misschien. Vandaag zijn ze nieuw, morgen zit er een gat in. Zo groot als een ei, zegt ze. Dat brengt Tao op een idee. Hij wil kippen, zoals oma en opa. Dan kan hij zien hoe ze de kuikens uitbroeden. Mama kijkt naar papa en schudt zachtjes van nee.

'Alsjeblieft!' smeekt Tao.

'We halen het geld er snel uit', zegt papa. 'Ze leggen eieren en als ze oud zijn, eten we ze op.'

'Dan zijn ze taai, man!'

'Je kunt er bouillon van trekken voor soep.'

En zo kopen we dus twee kippen en een haan, op voorwaarde dat Tao zal helpen hun hok schoon te houden, 'anders', zegt mama, 'gaan ze dezelfde dag de pan in.' Papa draagt ze in een rieten kooi. Soms vechten ze en dan stuiven de veren in het rond. Mama loopt naast hem. Ze is niet langer boos, het helpt toch niet en er zijn slechtere mannen dan papa, die hun wil doordrijven uit eerzucht en eigenbelang. Ze bezwijkt bijna onder de boodschappen. Ik draag ook wat ik kan. Tao draagt niets. Als het hem uitkomt, is hij klein.

Ineens gaat Tao er als een pijl uit een boog vandoor. Zonder boe of bah. Er klinken geweerschoten en het is ondenkbaar dat hij daar niet het fijne van weet. Mijn ouders roepen hem nog achterna, maar hun geroep gaat verloren in het geroezemoes en zijn dovemansoren. Hij is al niet meer te zien.

'Huan,' zegt papa, 'jij kunt snel lopen. Geef die mand maar aan mij.'

Het geluid van de schoten komt van de overkant van de rivier. Daar zijn soldaten. Het zijn er veel, ze zijn niet te tellen. Angst doet mijn ogen sneller lopen dan mijn benen, van links naar rechts, en over de grond, waar gelukkig niemand probeert weg te kruipen voor de kogels. De soldaten zijn gewoon op oefening. Hun chef buldert bevelen die als de donder over het water rollen. De soldaten schouderen hun geweer. Vuren. De storm in mijn hart, die even was gaan liggen, wakkert weer aan. Als Tao het maar niet in zijn hoofd haalt om naar hen toe te lopen. Ik haast me naar de brug, waar hij inderdaad half over de reling hangt. Hij is helemaal opgewonden en begrijpt niet waarom ik zo boos ben.

'Ik wil toch alleen maar kijken', verdedigt hij zichzelf.

'Mama en papa zijn doodongerust.'

Hij rolt met zijn ogen.

'Je kunt zeuren, Huan!' Hij doet alsof hij een machinegeweer heeft en schiet me dood. Rekketekketek. 'Later word ik ook soldaat.'

'Je bent niet goed wijs', sis ik.

Aan het eind van de brug staat een soldaat op wacht, met een geweer schuin voor zijn borst en om zijn middel een riem met patronen. Hij verspert de doorgang naar de andere oever. Ik wil niet dat hij ons hoort.

'Soldaten zijn cool, Huan.'

Dat vooral! Ze zijn de vuile handen van de regering. De regering is het brein en in dat brein is volgens papa maar plaats voor één waarheid. Wie daar een vraagteken bij durft te zetten, maakt zijn eigen strop. Zoals Chang, die neef van Feng. Er is nog altijd geen nieuws van hem. Soms vraag ik het haar, als Mei-Lan niet in de buurt is. Ik weet dat het niet heel moedig is, maar Mei-Lan rijd je beter niet tegen de kar, want dan wordt haar mond een geweerloop en schiet ze woorden als kogels. Soms heeft zij ook maar één waarheid, maar dat gebeurt gelukkig niet zo vaak.

'Jij moet later op het land werken', zeg ik tegen Tao. 'Als papa en mama oud zijn en hun rug versleten is, zoals bij oma. Ik moet mijn man volgen als ik trouw.'

Als ik geluk heb, is het iemand uit de stad. Het is weinig waarschijnlijk, maar 'verlangen is voor mensen wat een wortel voor een ezel is,' zegt mijn grootmoeder, 'het houdt je aan de gang'. Al denk ik dat zij 's ochtends vaker uit bed springt en haar stramme gewrichten losschudt omdat het nu eenmaal moet. Ik wil niet mijn hele leven ploeteren met mijn enkels in de modder. Ik zou graag studeren. Mevrouw Wei zegt dat ik er het verstand voor heb, maar van verstand koop je geen boeken en het geld wordt opgegeten.

Ik kijk achterom. Geen ouders te bespeuren, ze gaan onherkenbaar op in het gewriemel van honderden andere blauwe mieren. Zo noemen westerlingen ons. Mevrouw Wei zegt dat het een compliment is, mieren zijn harde werkers. Mieren zien er ook allemaal eender uit.

'Kom, Tao, ga mee terug', probeer ik hem te overreden.

'Ga maar alleen. Ik wacht hier wel.'

'En straks in het water vallen!'

Hij bauwt me na, hoog en spottend en dik overdreven. Ik zou hem met plezier een pak voor zijn broek geven, maar dan krijst hij alles bij elkaar.

'Ik vraag het nog één keer lief', zeg ik.

'En anders?'

'Anders dit.'

Ik trek hem mee bij zijn arm. Hij spartelt en gilt als een speenvarken. Als hij me een gemene schop tegen mijn enkel geeft, moet ik mijn greep lossen. Meteen rent hij terug naar de brug. Kriskras tussen de kraampjes, naar links, naar rechts, terwijl hij op denkbeeldige vijanden schiet. Op een visverkoper met een schort vol bloedvlekken. Zelfs op een vrouw die een kinderwagen voortduwt. Takketakketak. Hij botst tegen een dikke man op. Die scheldt hem de huid vol en gaat even achter hem aan, dreigend met zijn wandelstok. Zijn dikke buik schudt en de man moet buiten adem blijven staan.

'Paw!' Tao schiet hem neer van achter een riksja.

Hij lacht als ik hem heb ingehaald en aan zijn oor trek.

'Het is laf om iemand vanuit een hinderlaag aan te vallen', zeg ik streng.

'En hij dan? Hij is groot en ik ben klein. Heb je nog wat lekkers, Huan?'

We hebben allebei een zak snoep gekregen, maar hij heeft alles al op.

'Schrokop!' kijf ik en ik geef hem een van mijn snoepjes. Misschien wil hij dan wel meewerken.

'Ik wil liever chocola.'

'Ik ook.'

'Maar jij wordt er dik van.'

'Goed geprobeerd, broertje', grijns ik.

Intussen staan we toch mooi weer op de brug. En ach, waarom ook niet? Mama en papa zullen nu wel elk ogenblik komen, Tao hoeft het alleen niet te bont te maken.

'Je gaat niet op je tenen staan', waarschuw ik. 'Hoor je? Je waagt het niet!'

Hij komt maar net met zijn neus boven de reling uit. Er komt een jonk aangevaren. Het vierkante zeil bolt op door de wind. Het dek ligt bezaaid met rieten matjes, waaronder de waren beschermd liggen tegen de zon en de insecten. Op de achtersteven trekken vier mannen aan de peddels op het ritme dat door de roerganger wordt aangegeven. De roeiers hebben bruine, pezige armen en hun bezwete T-shirts plakken aan hun brede bovenlijven. Ze zien er beresterk uit. De roerganger zingt met een hoge stem, de tonen scheren over het water. Boven de jonk cirkelt een zwerm hongerige meeuwen. Elke keer als er geschoten wordt, stuiven ze uiteen, maar ze komen even snel terug, met een woedende schreeuw.

Iemand steekt twee vingers in mijn zij. Ik slaak een gilletje en kijk om, recht in het grinnikende gezicht van Mulan.

'Wie schrikt, heeft een slecht geweten', plaagt ze.

'Of een broer die je geen seconde uit het oog mag verliezen.' Tao hangt voor de zoveelste keer half over de reling. Ik trek hem weer met zijn voeten op de grond. 'Wil je hem niet kopen?' vraag ik aan Mulan.

Tot mijn ergernis vindt Tao het grappig.

'Hè ja, Mulan! Alsjeblieft! Huan zeurt. Ik zal elke dag alle spinnen voor je vangen.'

'Pech, jochie! Spinnen zijn toevallig mijn lievelingshuisdieren. En geld om je te kopen heb ik ook niet meer. Geen cent.' Ze draait zich weer naar mij. 'Kijk, Huan, wat ik gekocht heb.' Ze houdt haar hoofd een beetje schuin, zodat ik de amberen haarspeld kan bewonderen. 'Hij past wel bij een keizerin, vind ik.'

'Ik spaar voor een armband', zeg ik. 'Maar ik heb wel iets anders!' Ik tast in mijn broekzak. 'Van mama gekregen.'

'Een lippenstift! Mag ik hem proberen?'

'Als je zuinig bent.'

Ik kijk met argusogen toe. Daarna is het mijn beurt. We giechelen met rode lippen. Het is jammer dat we geen spiegel hebben. We kletsen nog even, dan moet Mulan naar huis. Ze heeft mijn ouders nergens gezien, maar eigenlijk heeft ze daar ook niet op gelet.

'Ze zullen wel ergens staan praten', veronderstelt ze.

'Dat is dan heel mooi van hen!'

Mij opschepen met dat rotjoch! Hij hangt alweer over de reling. Nu ben ik het echt spuugzat.

'Kom, Tao. Wij gaan ook.'

'Nog even! Kijk, de soldaten ...'

Ze zijn gestopt met schieten en klimmen tegen de rotsen omhoog als grote, trage hagedissen. Soms glijdt een van hen een stuk terug, maar het touw waarmee hij is vastgebonden, breekt zijn val. Ik vergeet dat het slechteriken zijn en mijn adem stokt. Als ze boven op de rand staan, gooien ze zich met doodsverachting achterwaarts in de afgrond, terwijl ze zich met gespreide benen afzetten tegen de wand.

'Vind je dat niet cool, Huan? Dat wil ik later ook', droomt Tao hardop.

'En weer een gat in je hoofd vallen! Weet je nog hoe je brulde van het huilen? Mama en papa moesten je vasthouden, anders kon de dokter de snee niet hechten.'

Hij blaast alsof ik onzin vertel.

'Toen was ik nog een baby. Nu ben ik groot.'

Zo groot dat hij alweer over de reling hangt, met zijn voeten van de grond. Ik ruk aan zijn arm.

'Nu is het welletjes! We gaan nú naar huis.'

'Laat me los! Je doet me pijn! Au!'

Hij maakt een vuist en haalt naar me uit, terwijl hij roept dat ik net als mama ben. Altijd bang, bang, bang.

'En jij bent altijd stout!'

'Nietes! Je bent zelf stout.'

'Ophouden of je krijgt een klap!'

'Dan vertel ik aan papa ...'

Met een oorverdovend geraas wordt een motorboot gestart. Hij schiet onder de brug door, met achter zich een stankwolk van diesel. In de bomen op de oever vliegen vogels krijsend op. Achter me begint een baby te huilen. Ik kijk om. Eén seconde maar. Eén seconde tussen het huilen van de baby en de schreeuw van mijn broer. Ik zie nog hoe hij met zijn armen slaat alsof hij probeert te vliegen, verbaasd dat de lucht hem niet draagt. Met een klap breekt zijn lichaam het water, dat in scherven uit elkaar spat. Hij gaat onder en het water sluit zich boven hem. Geel, ondoorzichtig. Ik schreeuw mijn trommelvliezen aan flarden.

❖❖❖

Ze duwen me haast plat om te kunnen kijken en allemaal roepen ze door elkaar.

'Zo is het gebeurd!'

'Nee, zo!'

'Nee, nee, zo niet! Zo!'

Met uitgestoken vingers wijzen ze naar het water, waarin Tao verdwenen is, maar iets doen, nee, dat niet. Niemand. Hoe ik ook bid en smeek en me aan hen vastklamp, alsof ik zelf de drenkeling ben.

'Mijn broertje', huil ik. 'Het is mijn broertje!'

'Daar is hij!'

Meters verder komt hij boven, machteloos meegevoerd door de stroming en alleen te herkennen aan de eenzame arm als het laatste stukje mast van een zinkend schip. Zijn kreten scheren over het water, scherp zoals een mes dat vader op de steen heeft gewet. Ze snijden de huid van mijn ruggengraat.

Wie schreeuwt, heeft nog lucht in zijn longen en lucht is leven is hoop.

De kreten verzwakken, worden onheilspellend stil. Tao gaat opnieuw onder. Uit mijn maag duwt zich zure angst omhoog die mijn keel vult, mijn mond, zoals augurken die ik niet lust maar toch moet proeven. Iemand duwt me ruw opzij. Ik hoop dat hij Tao achterna zal springen en redden, maar de man wil alleen beter kunnen kijken.

'Alsjeblieft! Alsjeblieft! Alsjeblieft!'

Tien, twintig keer. Zeker twintig keer. Iedereen kijkt over mijn hoofd heen en uitvluchten hebben ze ook bij de vleet. De brug is te hoog. Het water te diep. En te koud. Of ze zeggen gewoon niets. Een ander moet het maar doen.

Waren mijn ouders maar hier! Papa zou wel springen. Ook als het niet zijn eigen zoon was. Ja toch? De smaak van augurk is tot in mijn neus gekropen.

Als ze niet willen helpen, dat ze me dan tenminste doorlaten! Ik wring me naar de oever, naar de plek waar ik denk dat ik Tao heb zien bovenkomen. Helemaal zeker weet ik het niet. Van hieruit ziet het er helemaal anders uit dan vanaf de brug.

'Hé, meisje!'

Ik kijk omhoog. Een vrouw hangt uit het raam van de eerste verdieping en haalt de was binnen, die op een rekje te drogen hing.

'Vanwaar die haast? Bewaar je adem voor later. Je hebt hem nog een heel leven nodig.'

Naast haar huis is het café van de vader van Nua. Op het terras zitten vier mannen te kaarten. Een van hen heeft een blauwe zakdoek om zijn hoofd geknoopt, voor de show, want zomer is het nog lang niet. Hun adem ruikt naar bier.

'Alsjeblieft! Jullie moeten me helpen', hijg ik. 'Mijn broertje ... Hij is ...'

Ze kaarten voort, alsof ik vieze lucht ben waar je je neus voor dichtknijpt.

Die met de zakdoek om zijn hoofd smijt een kaart op tafel. De anderen vloeken. Met tegenzin schuiven ze geld over het tafelblad.

'Alsjeblieft! Hij kan niet zwemmen!'

'Laat ons met rust, meisje. Je ziet toch dat we bezig zijn.'

'Hij zal verdrinken!'

'Ga iemand anders lastigvallen. Nog iemand bier?'

Hij roept Nua en kletst op haar kont, waarmee ze harder draait dan hun ogen kunnen volgen. De jongste drinkt snel zijn glas leeg.

Er blijft wat schuim achter om zijn mond dat hij afveegt met zijn mouw. Op mijn mond schuimt de woede. 'Als je niet helpt, zeg ik alles tegen Dingbang.' Ze lachen, Nua ook, en ik slik, en slik, elk verder scheldwoord is verspilde adem. Radeloos schiet mijn blik alle kanten op, dan plopt mijn adem in een roestige zucht van opluchting uit mijn longen. Daar op dat muurtje, in de zon. Heilige mannen, wijze mannen! Zij zullen me helpen. Ik strompel meer dan ik loop.

Ze zitten te mediteren. Ze zijn al oud, breekbaar, een huid van dun perkament. De moed zinkt meteen weer in mijn schoenen. De derde man, die naast hen zit te roken, is geen monnik, maar ook hij draagt de geduldige grijze baard van een geleefd leven. Hij ziet me en wijst met zijn stok naar een plek in het water.

'Hij is al drie keer bovengekomen', zegt hij.

De middelste, de oudste monnik, die ingevallen wangen en bijna geen tanden meer heeft, knikt instemmend.

'Het is zijn karma,' zegt hij, 'zijn lot.'

'Moge zijn volgend leven langer en voorspoediger zijn', mompelt de andere.

De monniken glimlachen afwezig, alsof ze al niet meer van deze aarde zijn, sluiten hun melkachtige ogen en zwijgen weer. De andere, het vadertje met de baard, tuurt ingespannen naar het water. De augurk is uit mijn keel geschoten. Op die plek zit nu een bol rode, gloeiende woede. Als je duizend rimpels hebt, kun je over karma spreken, maar Tao is pas zes. Trouwens, het is niet Boeddha's wil, het is de onwil van de mensen als hij verdrinkt. De monniken liegen. En die ouwe verdient het niet een baard te hebben. Niet één kleinzoon mag hij overhouden om straks bij zijn graf te weeklagen.

Ik blijf staan, met mijn hand tegen mijn zij gedrukt en snakkend naar adem. En tussen het snakken het smeken. Ik kan niet anders, zoals ik niet anders kan dan naar adem happen, zoals Tao niet anders kan, om niet te stikken, om niet te sterven, omdat de wil om te leven net zo natuurlijk en net zo dwingend is als bij een baby de drang om geboren te worden, lucht te zoeken buiten de veiligheid van de schoot, maar dat weet ik pas jaren later. Ik moet blijven smeken, al kan ik nauwelijks een woord uitbrengen en al baat het ook niet.

'Ik ben niet gek! Mijn eigen dood tekenen!'

'Hou op met schreeuwen, je jaagt de vissen weg!'

De kapper, die aan een gammel ruwhouten tafeltje voor zijn huis een man aan het scheren is, kan zijn klant niet met een half ingezeept gezicht laten zitten. Lulkoek! De klant zal hem worst wezen, tenzij die nooit meer zou terugkomen, maar het blikken doosje met zijn ontvangsten, dát ziet hij héél zeker nooit meer terug. Mijn handen jeuken om het naar zijn hoofd te gooien. Ik zie de munten alle kanten op rollen en hij jammert, kruipt op zijn knieën rond in het grind, om ze met zijn nerveuze krabbenvingers bijeen te graaien.

Een bouwvakker die in een kruiwagen beton heeft gemaakt, vraagt hoeveel er voor hem in zit als hij me helpt. Ik draai mijn zakken binnenstebuiten. Een halve zak snoep en een bijna lege lippenstift. Hij lacht me vierkant uit. Denk ik dat hij achterlijk is? Nee, niet achterlijk. Berekenend, hebberig. Een rotzak van de wreedste soort die munt wil slaan uit iemands nood. Als hij wil doorlopen, gooi ik me op mijn knieën voor hem neer en sla mijn armen stijf om zijn benen.

'Verdomme! Moet ik vallen?'

Hij sleurt me mee. Ik haal mijn knieën open en moet hem lossen. Nu verspil ik toch een schreeuw, hij komt zoals een gulp braaksel.

'Geldwolf! Vuile smerige geldwolf!'

Ik krabbel overeind en strompel voort, zonder het warme bloed en de pijn weg te vegen die als netels aan mijn benen likken. 'Zottin', roept de bouwvakker. Door mijn tranen zie ik amper waar ik loop. Nu blijven alleen de soldaten aan de overkant van de rivier nog over. Als niemand het kan horen, zegt papa dat het de bloedhonden van Deng Xiaoping zijn. Maar ze zijn ook mijn laatste hoop. Het is kiezen of delen. De scheur loopt door mijn lijf.

De bewaker op de brug wil me niet doorlaten, maar de zus van een draak hoef je geen streken te leren. Ik duik onder de uniformarm door. De soldaat schreeuwt alarm en de chef, die een eindje verderop op de oever staat, kijkt op. Als hij ziet dat ik maar een kind ben, brengt hij zijn handen naar zijn zij in plaats van naar zijn geweer. Hij zet één gelaarsde stap vooruit.

'Wat moet je?' blaft hij me toe.

Ik slik. Al mijn moed lijkt ineens verdampt.

'U moet me helpen. Mijn broertje is in de rivier gevallen. Alstublieft', hakkel ik.

Hij hoort me onbewogen aan. Hij knippert zelfs niet met zijn wimpers. Alleen zijn mond gaat open en dicht, zoals de kaken van een haai.

'En waarom zou ik? Als jij bij hem was, had jij maar beter op hem moeten passen.'

'Maar hij viel omdat hij naar u wilde kijken! Als hij groot is, wil hij soldaat worden.'

De chef monstert me van top tot teen. Zijn wenkbrauwen schieten als kraaien omhoog.

'Ben je communist, meisje?'

Ik knik, met neergeslagen ogen. Mijn moeder zegt dat je ogen de spiegels van je ziel zijn. Als je liegt, worden ze zo zwart als geblakerd hout.

'Hoeveel geld heb je?'

'Geen, maar ...'

'Voor niets kan ik mijn mannen niet vragen hun leven te wagen.'

Een jonge soldaat, met een heleboel pukkels op zijn gezicht, stapt uit de rij. Heel even kijkt hij me aan, met vriendelijke ogen die hem misschien tot een engel van Confucius maken. Hij salueert voor zijn overste.

'Chef. Met uw goedvinden wil ik wel, chef.'

'Jij wilt niets, soldaat. Jij moet alleen voor je land sterven en voor niets of niemand anders', zegt zijn chef scherp.

De soldaat perst zijn lippen op elkaar en salueert opnieuw. Ik voel zijn bloed in mijn mond, zijn bloed en afgebeten tong die speeksel maakt in plaats van woorden. Ik slik, slik, slik. Op de laarzen van de chef zit geen spatje slijk. Ze draaien zich om en laten me staan. In mijn rug trekt de rivier. Ze heeft zoveel armen als het leger van zeewier dat Nians duistere hol bewaakt. Is hij in zijn slaap gestoord en ligt hij te woelen, van zijn ene op zijn andere zij en van zijn buik op zijn rug? Of heeft hij Tao in één hap opgeslokt en kolkt het water daarom onder zijn luide scheten en boeren?

Mama en papa. Plots duiken ze op uit het niets. Ze zeggen iets tegen de bewaker op de brug en wijzen naar mij. De bewaker laat hen door.

Het gejammer van mijn moeder loopt voor haar uit, het gezicht van mijn vader is grijs alsof hij een week in de sneeuw gelegen heeft. Hij grijpt me bij de schouders en schudt me hard door elkaar. Hij doet me pijn.

'Is het Tao? Ze zeggen dat er een kleine jongen ...'

Ik begin te snikken en mijn moeder trekt me, ook te hard, tegen zich aan. Haar tranen vallen als keitjes op mijn hoofd.

'Het komt in orde, Huan. Het komt in orde.'

Waarom zit haar stem dan vol gaten?

Mijn vader neemt zijn portefeuille. De chef ruikt het geld met zijn rug.

'Ik kan niet zwemmen', zegt papa tegen hem. 'Hoeveel om mijn zoon te redden?'

'Tweehonderd yuan.'

'Honderd. Meer heb ik niet.'

'Dan niet', zegt de chef en hij draait zich weer om.

'Wacht!' roept mijn moeder.

Ze schudt haar portemonnee leeg en telt nog eens negentien yuan bij elkaar.

'Je oorbellen. En ook die van de kleine.'

'Ja, ja. Maar haast u. Haast u, alstublieft.'

De chef stopt het geld en de oorbellen in zijn borstzakje en wijst drie van zijn mannen aan.

'Jullie zijn vrijwilligers.'

'Ik ga wel', biedt de soldaat van wie de tong opnieuw is aangegroeid zich aan. Het klinkt nog naar nieuw, gevoelig vlees. 'Met uw permissie, chef.'

De chef maakt een geïrriteerd gebaar. Doe wat je niet laten kunt, voor mijn part verdrinken. Het zou geen verlies zijn. Je ziet hem denken dat betrouwbare soldaten gehoorzame soldaten zijn, dom en anoniem.

De engel-soldaat legt zijn geweer af en trekt zijn hemd, zijn broek en zijn schoenen uit. Hij is mager. Zijn ribben steken door zijn huid. Hij vraagt waar ik Tao voor het laatst heb gezien.

'De monniken hebben hem nog zien bovenkomen, daar, aan de overkant, bij dat muurtje.'

Hij duikt de rivier in. De zogenaamde vrijwilligers volgen met zichtbare tegenzin. Mijn hart rammelt aan de kooi van mijn ribben, maar het kan niet vluchten.

'Hoe lang al?' vraagt papa.

Ik moet het hoofd schudden. Ik weet het niet. Het lijkt een eeuwigheid.

Hoe graag zou ik me tegen hem aandrukken, met mijn hoofd tegen zijn borst en tegen het geruststellende tikken van zijn hart! Mijn papa die alles kan, die Tao van het dak haalde toen hij er niet meer af durfde, die de glassplinters uit zijn hand haalde die keer toen hij probeerde om met een fles zijn zeepkistenboot te dopen, mijn papa die niet flauwviel zoals mama toen mijn blindedarm sprong en ik wartaal sprak van de koorts en daarna niet meer sprak en bijna niet meer ademde en die me op blote voeten en in zijn pyjama tot bij de dokter droeg helemaal aan de andere kant van het dorp, terwijl ik al zwaarder was dan drie grote balen rijst en de angst en de moesson de aarde onder zijn voeten wegspoelden. Ik doe het niet. Ik durf het niet. Zijn strohoed werpt een harde schaduw over zijn ogen. Zijn armen zullen me nu wel liever slaan dan omhelzen.

Hij zwijgt. En mama zwijgt, tussen de snikken door, die sneetjes maken in haar keel. Ze duwt er haar hand tegen. We kijken naar het water. Het is ijzig koud en de stroming is sterk. Te koud en te sterk om een eeuwigheid in te overleven. Ik moet aan de landkaart van mevrouw Wei denken. Misschien is Tao al bij de oceaan. Ik weet niet wat erger is, de oceaan of de klauwen van Nian. Plots verheft papa zijn stem. Hij buldert zoals grote brokken steen die na de regens de berg afdonderen. De horde nieuwsgierigen deinst eindelijk een voetbreedte terug. De bewaker en de chef hielden het al voor bekeken. De chef heeft wat hij wil en de bewaker wordt betaald om te doen wat hij moet, en verder wordt soldaten geleerd om te doden, niet om een leven te redden. Op de rivier hebben de vissers hun sloepen stilgelegd. De een na de ander duikt nu ook in het water. Ze zijn geen haar beter dan de chef. Het moet dan toch waar zijn dat geld stinkt dat ze het tot daar kunnen ruiken. En dan, de vis stinkt ook. Geen zeep wast de geur van hun huid. Hij zit tot diep in hun vlees en blijft daar tot de wormen onder de grond het vroeg of laat van hun botten knagen. Mijn maag keert zich om.

'Ik houd het niet meer', zegt papa.

Hij zet zijn hoed af en maakt aanstalten om ook zijn jas uit te trekken. Mama houdt hem tegen, met twee handen om zijn arm.

'Je zult ook verdrinken.'

'Ik laat mijn zoon niet in de steek.'

Hij kijkt naar de rivier, alsof hij niet wil geloven dat ze dieper is dan de onder water gelopen straat in die nacht van mijn blindedarmontsteking. Wat je voor een dochter doet, doe je toch zeker ook voor je zoon.

'Als jij springt, spring ik ook', dreigt mama en ze gaat voor me staan.

Als de mannen eindelijk naar adem snakkend weer boven komen, houden ze niemand in hun armen. Ze wrijven de druppels uit hun ogen, halen diep adem en duiken opnieuw. Telkens en telkens opnieuw, maar hun armen blijven net zo leeg als uitgeworpen netten in een dode zee. Dan golft een schreeuw als een sidderaal door de menigte.

'Daar!'

Een van de vissers heeft Tao gevonden en zwemt met trage, vermoeide slagen naar de kant. Halzen rekken zich. Leeft hij nog? Ineens zijn er duizend handen om te helpen, maar papa duwt iedereen opzij. Zijn stem buldert opnieuw. Hij trekt Tao uit de armen van de visser op het droge en klemt hem tegen zijn hart. Daarna brult hij om plaats en legt hem op de grond. Hij begint op Tao's hart te duwen en blaast zijn eigen adem in zijn mond. Intussen is de engelsoldaat ook uit het water gekomen. Hij spreidt zijn armen en duwt de opdringerige menigte achteruit om mijn moeder en mij door te laten. Als papa moe wordt, wisselt hij hem af. Hij duwt op Tao's borst. Duwt, duwt, duwt met elk grammetje kracht dat hij uit zijn magere lijf geperst krijgt. Geeft elk grammetje lucht uit zijn longen. Dan neemt papa het weer over. Hij pompt en mama knijpt in mijn schouders. Ik geef geen krimp, alsof er maar één schreeuw toegestaan is en die is voor mijn broer.

'Hij is dood', zegt de visser die hem uit het water heeft gehaald en nog altijd een beetje staat te hijgen, voorovergebogen, met zijn handen op zijn knieën. 'Zo dood als een pier.'

Mama en papa versterken hun greep, mama in mijn schouders, papa op Tao's borst. Pas als de soldaat een hand op zijn arm legt, laat mijn vader zich zachtjes achteruitduwen. De soldaat legt een oor tegen Tao's hart. Hij luistert. Hij luistert lang. Dan schudt hij het hoofd.

'Hij lag er al te lang in', zegt de visser. 'Het is niet mijn fout.'

Heel traag heft papa zijn hoofd. Hij kijkt de visser aan. Zijn ogen zijn leeg zoals leeggeroofde oesterschalen.

'Natuurlijk niet', antwoordt hij. 'We weten niet hoe we u moeten bedanken.'

'Tweehonderd yuan.'

De visser legt zijn hand als een klauw op Tao's lijk. Hij geeft zijn prooi niet meer af. Hij gooit hem nog liever terug.

De soldaat is nog één fractie sneller dan papa. Zijn vuist ontploft tussen de ogen van de gier.

'Maak dat je wegkomt voor ik je neus in je vuile hersens sla!'

De visser slaat zijn handen voor zijn gezicht. Ik kijk gretig naar het bloed dat tussen zijn vingers stroomt. Hij is een kop groter en tweemaal zo breed als de soldaat, toch staat hij daar alsof hij elk ogenblik in zijn broek kan pissen.

'Dat is de laatste keer dat ik voor iemand mijn nek heb uitgestoken', gromt hij binnensmonds terwijl hij, links en rechts nagejouwd, de aftocht blaast.

Hier en daar applaudisseert iemand voor de soldaat. Hij draait hun de rug toe. Hij klappertandt en zijn lippen zijn blauw alsof hij kersen gegeten heeft, maar de jas die papa hem wil geven, weigert hij.

'Mijn kleren liggen daar, in het gras. Het spijt me van uw zoon.'

'Ja. Hoe kan ik u bedanken?'

De soldaat kijkt van hem naar mij en glimlacht.

'U hebt een moedige dochter', zegt hij tegen papa.

Als ik kon, zakte ik door de grond.

***

Papa baant een weg. In de mensenhagen ritselen en lispelen de tongen. Hij loopt voorop, met mijn broer in zijn armen en zijn rug en zijn hoofd rechtop. Niemand zal hem zien huilen. Tao's kleren huilen wel, ze maken een druipspoor van verdriet. Het lijkt heiligschennis om eroverheen te lopen. Ik moet onwillekeurig aan de krokodillen denken en bijt op mijn tanden. Mijn moeder huilt ook, de ogen uit haar lijf. Ze ziet niet waar ze loopt en ik ben bang dat ze zal vallen, maar ik kan haar niet ondersteunen. Zij en ik hebben onze handen vol met de boodschappen en de mand met de kippen en de haan, die nog altijd ruzie maken. Af en toe biedt iemand aan om te helpen dragen, maar dan doet mama zoals de soldaat, ze draait hun de rug toe.

Ik niet. Ik kijk hen recht in de ogen, alsof ik een harpoen gooi die maakt dat ze hun gezicht vertrekken of ineens aan hun kin of neus gaan pulken. De man die bij de monniken op het muurtje zat, heeft ineens luizen in zijn baard. Hij verbergt zich in een wolk rook. De kapper, wiens klant nu wel kan wachten, heeft zich naar de voorste rij gedrongen. Hij houdt zijn zakdoek voor zijn mond en af en toe dept hij zijn ogen. Als hij een stap naar voren zet en ons wil aanspreken, spuw ik voor zijn voeten. Zijn medelijden blijkt een hoop kouwe kak. Achter mijn rug begint hij te gakken als een verongelijkte gans. Het terras van het café is leeggelopen, maar als ik omhoogkijk om haar te zoeken, zie ik Nua. Ze hangt uit het raam en stoot de vrouw aan die de was van het rekje haalde. Nua's borsten vallen uit haar jurk. Ik zweer op Tao's hoofd dat ze Dingbang niet zal krijgen, al kijkt hij al een poos niet meer naar me om. Mama heeft het me uitgelegd. Hij is nu een man en ik ben nog altijd een kind.

Terwijl ik mijn rug nog rechter houd en mijn tanden nog vaster op elkaar klem, is de worm van de schuld ongemerkt in mijn oor gekropen en boort hij zijn gangen in mijn hoofd, mijn hart, mijn lijf. En hoe meer hij eet, hoe groter zijn honger wordt.

Het verkeerde kind is gestorven. De harpoenen komen als een boemerang terug, het gefluister en het geroddel achter de handen als giftige adderbeten. Arme ouders! Dat het net hun zoon moet zijn! Hij zet je naam voort en werkt voor je op het land als je ziek of oud bent. Aan een dochter heeft later alleen de schoonfamilie iets.

Ik heb al twaalf jaar van mijn leven cadeau gekregen. Een gezin heeft recht op één kind, dat is de wet. Papa zegt dat het op zich een goede wet is, er zijn nu al te veel mensen en te weinig rijst. Er zijn ook te weinig handen om al het werk te doen. Dat ze in de steden maar aan gezinsbeperking doen.

Wie de wet overtreedt, moet in het beste geval een boete betalen, en die is niet min. Ze kunnen ook je rijstveld afpakken of je huis platbranden. Kun je het ouders kwalijk nemen dat ze op een jongen hopen? Vorige week werd in de rivier weer een pasgeboren meisje verdronken. Dat gebeurt 's nachts, stiekem, toch weet het hele dorp ervan. Hoe? Door naar de zwangere vrouwen te kijken. Op een dag is hun buik weggesmolten, maar een baby is niet te zien of te horen. Met een zoon kunnen ze niet genoeg pronken.

Mijn ouders hebben me gehouden en als dank heb ik mijn broertje laten sterven. Dat is wat de blikken zeggen en wat almaar harder sist in mijn oor. Dat ik alles geprobeerd heb om hem te redden telt niet mee. Dat niemand geholpen heeft nog minder. Ik had beter op hem moeten passen. De adders hebben gelijk. Ik zou het verdienen als mijn ouders me straks voor altijd het huis uit schopten.

* * *

Tao ligt opgebaard op zijn bed. Mijn moeder heeft hem gewassen en zijn beste kleren aangetrokken. Op het laken liggen geurige leliebladjes gestrooid. Ze zegt dat hij er mooi bij ligt, rustig, alsof hij slaapt. Papa knikt, met de leugen in zijn afgewende ogen. Hij liegt om haar te sparen, troosten kan hij niet. Tao's lippen zijn blauw en ook onder de huid van zijn ogen is het vlees blauw en opgezwollen, met een glazige, gebarsten glans. Ik wil het niet, maar het doet me aan dunne schubben denken, aan de koude buik van vissen. Ze zijn door zijn mond naar binnen gezwommen. Mijn keel is dik van de wierook. Overal in huis heeft mama staafjes aangestoken om de boze geesten weg te jagen, zodat zijn ziel onbelaagd de aarde kan verlaten.

Ik zit als een spin met opgetrokken poten in een hoek en wacht op de schoen die me elk moment kan doodtrappen. Het zou een verlossing zijn als het eindelijk gebeurde. Ze worden niet boos. Ze vragen alleen dat ik nog een keer vertel hoe het gegaan is, telkens en telkens opnieuw. Ik verzwijg niets, ook niet van Mulan en de lippenstift, al was Tao toen nog springlevend. Ik biecht zelfs op dat ik hem wilde verkopen, alsof dat niet maar een grapje was. Ze gaan er niet op in en een kwartier later moet ik alles opnieuw vertellen. Ik ben ervan overtuigd dat ze me testen. Ze geloven me niet en wachten tot ik een steek laat vallen. Zo gaat de politie ook te werk als ze iemand verdenken, maar zij doen dat ongeduldig en bars, vol dreigementen, misschien wel met duimschroeven en stokslagen op je blote voetzolen, niet op die matte toon en met behuilde ogen die het beeld niet helder krijgen, al stoppen hun vuisten niet met wrijven, wrijven.

Mijn mond zit vol spijt, bitter als een slijkmossel. Het kruipt tussen de tanden van elk woord dat ik zeg. Mijn ouders schudden het hoofd, nee, nee, zíj zijn het.

'Ik had strenger tegen Tao moeten zijn', zegt mijn vader. Hij slaat met een vuist tegen zijn voorhoofd. En nog eens. 'Ik heb zijn kattenkwaad altijd goedgepraat.'

'Als ik niet naar weduwe Weng was blijven luisteren', zegt mama. 'Ik weet toch hoe ze is. En als ze er nu beter van werd, maar de waslijst kwaaltjes wordt langer met de keer. Het is mijn schuld.'

'Nee, lieve, nee! Ik had de kinderen alleen achterna kunnen gaan in plaats van in die bakken met goedkoop gereedschap te snuffelen.'

Straks gaan ze nog ruzie maken over wie van hen tweeën de schuld heeft. Ik was bij Tao.

'De verkeerde is verdronken', zeg ik. 'Ik had al niet geboren moeten worden.'

'Je bent gek, Huan! Zeg dat nooit of nooit meer!' Papa kijkt alsof hij me wil slaan.

Mama sluit me met een kreet in haar armen. Ik duw haar van me af. Waarom straffen ze me niet gewoon, zoals op school als ik gebabbeld heb? Je schrijft je straf en je begint met een schone lei. Maar tien bladzijden zouden niet genoeg zijn. Zelfs als ik mijn hele leven straf zou schrijven, van zonsopgang tot als de sterren verbleken en ik geen vingers maar stompjes meer had, zou het nog niet genoeg zijn.

Opa en oma komen over voor de begrafenis. Het verdriet heeft hen verschrompeld, herleid tot schrale armen die ze om mijn moeder slaan. Mijn grootmoeder wiegt haar, al is ze een hoofd kleiner. De mannen houden elkaars hand langer vast dan anders, de andere hand sluit zich om een schouder. De een houdt de ander recht. Ik kijk toe van onder de tafel. Ik heb me verstopt.

'Waar is Huan?' vraagt mijn grootmoeder.

'Ze denkt dat het haar schuld is', zegt papa. 'We krijgen het niet uit haar hoofd gepraat.'

'Hoezo? Was zij dan bij Tao toen het gebeurde?'

Mijn ouders vertellen hoe het gegaan is. Zonder Mulan en zonder de lippenstift, maar met weduwe Weng en de bak met gereedschap.

'Huan heeft gedaan wat ze kon', zegt mama. 'Ze moet zo bang geweest zijn.'

'Ze heeft zelfs een officier aangesproken', vult papa aan.

Van schrik legt mijn grootmoeder een hand op haar hart.

'We hebben hem geld gegeven,' zegt papa snel, 'maar dat was niet genoeg. Toen eiste hij ook nog de juwelen op. Gelukkig niet onze trouwringen, al had ik die met plezier gegeven als dat Tao had kunnen redden.'

'De verdomde schoft!'

'Stil, papa, stil! Straks hoort iemand je!'

'En denk om je hart.'

'Zijn hart, mama? Wat is er mis?'

Opa werpt oma een boze blik toe.

'Niets om je zorgen over te maken, liefje', zegt hij tegen mama. 'Ik word gewoon een dagje ouder. En nu wil ik mijn kleinzoon zien.'

Zodra ze weg waren, ben ik naar de tuin gerend om de kippen eten te geven. Tao's kippen. Voorlopig heeft papa een hoek afgespannen met draad, later komt er een echt hok. De kippen kennen me al een beetje. Ik zorg voor hen alsof het mijn kinderen zijn. Soms pak ik er een op mijn schoot en streel ik over de veren. De hennen vinden dat prima. De haan niet. Hij wil vrij zijn. Hij pikt naar me en spartelt tegen, met lellen die bloedrood worden van woede, en steekt zijn groene en gouden kontveren in de lucht. Ik heb hem Tao genoemd, maar dat hoeft niemand te weten.

Ik schrik van het geluid van voetstappen achter me. Het is oma die me komt zoeken. Ze hangt een jasje over mijn schouders, bijna zonder me aan te raken, alsof ze weet dat ik anders zou gillen. De zon is gezakt en het is kil geworden. Er loopt een rilling over mijn rug. Ze komt naast me zitten, op een emmer die ze heeft omgedraaid. Ze heeft er eerst een papieren zakdoekje op uitgespreid. Ze glimlacht naar me.

'Uit mijn overlevingskit', zegt ze en ze trekt haar broekzakken binnenstebuiten. Ze haalt er een paar elastiekjes uit die ze bij het pakje zakdoekjes in haar schoot legt, een paperclip, drie haarspeldjes, een regenkapje en een zakje groene hoestdropjes. 'Wil je er een?'

Ik schud het hoofd.

'Ik wel.'

Ze stopt het dropje in haar mond en begint erop te kauwen. Zo zitten we een poos naast elkaar, zonder iets te zeggen. We kijken naar de haan, die met een hoge borst achter de tweede hen aan zit. De andere heb ik op mijn schoot.

'Tao wilde kippen', zeg ik. 'We hadden ze net gekocht op de markt.'

'Je moet oppassen met de haan. Die van ons valt aan als je in het hok komt. Hij wil de baas zijn.'

Dat wilde Tao ook. Als hij naar me geluisterd had, dan leefde hij nog. Zo mag ik niet denken. Wie dood is, kan zich niet verweren. Tao was pas zes. En een draak. De maan doet met mensen wat ze wil. Ik ben een hond. Honden zijn trouw en gedienstig en ze zorgen goed voor anderen. Dat zou toch moeten. Werktuiglijk streel ik de kip op mijn schoot. Er drupt een traan op haar veren. Een stroompje.

'We houden van je, Huan', zegt oma. 'Dat is altijd zo geweest en dat zal altijd zo blijven. Wij waren blij met een meisje. Je werd met vreugde verwacht en met vreugde ontvangen. Of waarom denk je dat we je zo genoemd hebben?'

Ik wou dat ze ophield. Alles wat ze zegt, maakt het alleen erger. Ik heb mijn naam oneer aangedaan. We zwijgen en de vingers van de schemering vouwen zich om mijn verdriet. Na een tijd probeert het niet langer paniekerig te ontsnappen. Het zit daar heel stil, zoals het lieveheersbeestje dat Tao een keer voor me ving.

'Het wordt koud', zegt mijn grootmoeder een hele tijd later.

Ze duwt zich steunend op mijn schouder overeind en steekt haar hand naar me uit. Ik pak hem niet aan.

'Ga al maar, oma. Ik moet nog iets doen.'

❖❖❖

Mijn vader en grootvader maakten een kist met hun blootste handen, waarvan het verdriet zoals een bijtend zuur het eelt heeft weggevreten, en nog dieper, tot er zelfs geen huid meer over de rauwe zenuwen lag. Toen de kist klaar was, bekleedde mijn moeder de bodem met de jurk die ze droeg op de dag dat Tao de wereld verliet. Hij kwam uit haar schoot en zou in de geur van die schoot begraven worden. Ze wilde hem niet achterlaten zonder de geur van haar troost. En zonder de geur en de kleur van zondagen en feesten en blinkende liedjes in het ritselen van de zijde. Ik hoop voor Tao dat er aan de overkant dingen te beleven zijn en dat hij een beetje kan opschieten met oma en opa Poes. Ze waren al zo oud, misschien kunnen ze niet meer goed om met kwajongensstreken. Ik dekte hem toe met zijn drakenpak. Daarna timmerde papa de kist dicht, met de zachtst mogelijke hamerslagen, en legden we Tao in zijn graf. We gooiden een handvol rijst op de kist en stopten hem in, in de aarde tussen de wortels van zijn lievelingsboom. Mijn moeder en grootmoeder huilden en klampten zich aan elkaar vast, zoals takken van rozelaars in elkaar groeien en je niet meer kunt zeggen welke bloemen en welke doornen van welke struik zijn. Ik had me voorgenomen net zo flink als papa te zijn. Net zo flink als de zoon die hij verloren heeft en die ik hem ga teruggeven. Daar heb ik geen minuut over hoeven te piekeren. Ik had alleen een plan nodig en dat zit nu net zo vast in mijn hoofd als in beton.

Ik wacht tot mijn ouders oma en opa naar de trein brengen. Ze denken dat ik naar school ga. Mevrouw Wei zal me missen, maar het begrijpen. Ze is ons komen condoleren. Mevrouw Wei is niet getrouwd en heeft geen kinderen, maar ze heeft ons, haar leerlingen. Ze draagt ons in haar hart en voedt ons met haar kennis zoals een zwangere vrouw de baby in haar schoot voedt met haar bloed. Dat heb ik haar tegen mijn ouders horen zeggen. 'Ik ben thuis in uw liefde en in uw verdriet.' Mevrouw Wei spreekt zoals in boeken, met woorden die in je hart op hun plaats vallen alsof ze uit het diepst van jezelf komen.

Eerst herkent de kapper me niet. Ik ben maar een goedkoop hoofd met haar, een knipbeurt zonder wassen voor wat schamele yuan. Ik heb mijn spaarpot leeggemaakt en leg het geld voor hem op tafel. Daarna ga ik op de stoel zitten, met een rechte, onverzettelijke rug en mijn gezicht onbewogen naar de rivier. Het is een grijze dag. Het water stinkt en de lucht lijkt te klein voor al de muggen die haar vullen met misnoegd gezoem.

'Scheer me kaal', zeg ik. Dat zijn de laatste woorden die ik in mijn leven zal spreken.

De kapper wordt bleek en ik weet dat hij zich herinnert wie ik ben. Hij aarzelt, niet lang, het geld plakt al aan zijn vingers. Hij stopt het snel in het blikken doosje voor hij zich misschien bedenkt, pakt de schaar en knipt mijn vlechten af. Zijn handen beven en de schaar knarst. Ik heb dik haar. De plukken wenen over mijn wangen. Daarna neemt hij de tondeuse. Als hij klaar is en me de spiegel voorhoudt, glimlach ik. Niet naar hem. Naar iemand achter mijn gezicht.

Onderweg naar huis staren de mensen me aan. Ze doen zelfs niet de moeite om het te verbergen. Het ene moment maakt dat me gelukkig, dan draag ik mijn kale schedel als een boeteoffer, als hoop op loutering. Dan sla ik mijn ogen neer en dank ik in mijn binnenste voor elke steen die ze gooien. Tien stappen verder zit er een briesend paard in mijn hoofd. Nu mijn woede niet langer als een schuimbekkende hengst over mijn tong mag rijden, begint hij te steigeren en met zijn achterpoten tegen mijn slapen te stampen. Hij gooit zijn hoofd in zijn nek en kijkt door mijn ogen naar buiten, ontbloot zijn grote, gele tanden naar de voorbijgangers, die gehaast hun blik afwenden. Ik wil hun een geweten bijten, ik ben zo stom nog altijd te denken dat ze dat hebben.

Thuis kijk ik een kwartier lang in de spiegel. Ik zoek opnieuw naar trekken van Tao in mijn gezicht. De rechte neus. De wenkbrauwboog. Mijn ogen en huid zijn lichter. Geen onoverkomelijke hindernis om hun zoon te worden. Zo hoeven mama en papa zich tenminste over de toekomst geen zorgen meer te maken. Mijn vader zal niet hoeven te zuchten als hij 's avonds zijn rug recht, over het rijstveld uitkijkt naar weer een zon die ondergaat en bedenkt dat hij weer een dag dichter is bij oud en opgebrand zijn. Ik word de rijst in de kom van hun oude dag. Het is tijd voor stap twee. Ik moet me reppen voor ze thuiskomen. Als ik voor de kleerkast sta en zie hoe Tao's kleren hem elk ogenblik terug verwachten, geduldig en trouwer dan de levenden, krijg ik een schok en een brandende pijn verspreidt zich door mijn lijf, alsof ik door een dodelijke kwal gestoken ben. Vannacht leek het zoveel eenvoudiger. Ik moet me vermannen. Niet denken, doen.

Ik kleed me uit, pak een hemd en een broek en probeer me erin te persen, tegen beter weten in. Ik trek harder. Een naad scheurt open en dan weet ik niet meer wat me bezielt. Eerst scheur ik met mijn handen, maar dat gaat stroef. De stukken, ongelijk en rafelig, schreeuwen een stomme beschuldiging uit. Is je broer niet meer zorg waard dan dat? Een schaar heb ik nodig! Ik sla mijn armen voor mijn beginnende borsten om in de keuken de blik van Tsao Chun te ontlopen. Mij bij mama en papa verklikken zal hij niet, wat hij hoort en ziet is tussen hem en de goden. Mijn ouders zullen het vanzelf merken en sneller dan me lief is. Ik zal zeggen dat het sterker was dan mezelf. Zelfs hun woord moet buigen voor karma.

Ik knip zorgvuldig, lapjes van acht bij acht. Zijn hemden, zijn broeken, zijn jasje, zelfs zijn wollen trui. Alles. Onder mijn huid, waar mijn verdriet als sneeuw blijft liggen, ril ik, maar mijn handen beven niet één seconde. Ik doe wat ik doe.

Opeens is de kleerkast leeg. De kapstokken hangen als geraamten aan de staaf. Ik sla de deur dicht, maar nu kijkt mijn spiegelbeeld me aan. Kaal. Naakt op mijn slipje na. Ben ik dat? Wie ben ik? Verloren grijp ik naar Tao's pyjama, op het voeteneind van zijn bed, zoals een drenkeling naar een stuk hout. Ik kniel neer en duw hem tegen mijn gezicht. Zijn geur hangt er nog in. De geur van zeep en het slaapdronken bedelen om nog één verhaaltje. Nog één. Het aller-, allerlaatste. Zo blijf ik zitten tot ik de voordeur open en weer dicht hoor gaan. Ik hoor papa's stem die waarschijnlijk iets troostends probeert te zeggen. Snel trek ik mijn eigen kleren weer aan, graai de lapjes stof en de pyjama bij elkaar en prop alles in de diepste hoek van mijn stuk van de kast. De knopen en de ritsen zal ik morgen weggooien, op weg naar school. Bezwarend materiaal. *Wat heb je aangericht? Je hebt hem opnieuw vermoord!* Maar zo is het niet, jullie vergissen je! Ineens begrijp ik wat ik met de kleren wil. Garen moet ik hebben, naaigaren en een naald. Nu ik het weet, word ik rustiger. De weg is uitgetekend. Ik hoef hem alleen nog te gaan.

❋❋❋

Ze denken dat ik gek geworden ben van verdriet. Daarom heb ik mijn haar afgeschoren en kan ik niet meer spreken. Op geen enkel ogenblik komt de gedachte bij hen op dat ik het misschien zo wíl. Ik laat hen in de waan, het maakt het makkelijker. Uit mijn moeders keel ontsnapt een snik en ze streelt met een hand, die ruw is van het werk, over mijn schedel. Als ze het niet voelt, kan ze het niet geloven. Mijn vader draait zich bruusk om en vlucht naar de tuin. 'Na mijn zoon ben ik nu ook mijn dochter kwijt!' Zijn woorden snijden door mijn hart, maar mettertijd zullen ze eraan wennen.

'Het komt allemaal in orde, Huan', zegt mijn moeder schor.

Ja, mama. Het komt in orde. Daar zal ik voor zorgen.

Ik glimlach naar haar. Daarna neem ik haar gezicht tussen mijn handen, trek het naar me toe en druk een kus op elk van haar ogen.

Niet huilen, mama. Niet om mij.

Nu sprokkelt zij een glimlach bij elkaar en recht ze haar schouders om in de keuken thee te gaan zetten en Tsao Chuns bescherming af te smeken tegen verder leed.

Als ik na een week nog steeds geen woord heb gezegd, nemen ze me mee naar de dokter, hoewel daar eigenlijk geen geld voor is. Ik heb nochtans met handen en voeten duidelijk proberen te maken dat ik niet wil. Ik heb het zelfs opgeschreven. Het geeft niet dat ik niet kan spreken, mama. Ik vind het best zo, papa. Maar zelfs zij luisteren niet. Het enige verschil is dat zij het goed bedoelen. Als ik mijn eigen kind was, deed ik precies zo. En het geld voor de dokter betaal ik terug, tot de laatste fen.

De dokter kijkt in mijn keel en in mijn oren. Hij luistert naar mijn hart, dat gewoon is blijven kloppen. Naar mijn longen. De ruis van verdriet vang je niet op met een stethoscoop. Hij voelt mijn pols en kijkt in mijn ogen.

'Ze zou moeten huilen', besluit hij. 'Ze kropt haar tranen op.'

Ik kan niet huilen, al zwelt het verdriet in me zoals de rivier tijdens de moessonregens. Ik lijk dichtgemetseld met dijken. Soms kan ik ze horen kreunen.

'Het zijn schuldgevoelens', zegt dezelfde dokter een week later.

Op het gezicht van mijn ouders verschijnt een glimp van opluchting. Op weg naar huis herhalen ze bij iedere stap dat ik me niet schuldig hoef te voelen.

'Jij hebt niets misdaan, Huan.'

'Wij hadden voor Tao moeten zorgen.'

'Het was een ongeluk, zusje.'

Ik ben geen zusje meer. Er bestaat geen woord voor wie haar broer verliest.

'Als je geen schuld hebt, waarom blijf je dan zwijgen, Huan?'

Omdat ik moet. Ik kan niet anders. Dat begrijpen ze niet en ik wil het niet uitleggen. Ik wil geen strijd, mama.

Omdat ik al niet had mogen bestaan. Omdat mijn keel brandt van het smeken en brandt van de haat. Omdat toch niemand luistert. En uit angst, papa. Ik wil niet nog eens in de steek gelaten worden. Nog een nee overleef ik niet, en wie zorgt dan voor jullie?

Ik heb school altijd leuk gevonden, maar nu wil ik liever thuisblijven en op het rijstveld en in de keuken helpen. Daar willen mijn ouders echter niet van weten.

'Je moet het later beter hebben dan wij, Huan.'

'Met een diploma kun je werk vinden in de stad.'

Ik wil niet langer naar de stad. Vreemden zijn niet te vertrouwen. Ik wil voor altijd bij hen blijven en op een dag, na een lang en gezond leven, in Tao's plaats hun ogen sluiten en de gebeden voor de doden voor hen zeggen, zodat hun zielen niet rusteloos over de aarde hoeven te blijven dolen.

Voorlopig hebben ze me respijt gegeven, maar op een dag, ruim drie weken na Tao's dood, neemt mijn moeder me apart.

'Ik kon niet naar school gaan', zegt ze. 'Toen ik een dochter kreeg, wist ik dat dat mijn droom zou zijn. Jij móét gaan. Als je het niet voor jezelf doet, doe het dan voor mij.'

Ik pak mijn blocnote en schrijf. *Het is weggegooid geld. Wat moet ik met een diploma maar zonder stem? Ik zal nooit een baan vinden.*

Mijn moeder neemt mijn handen in de hare en dwingt me haar aan te kijken.

'Die stem komt terug, Huan. Op een dag zul je weer praten.'

Nee, mama. Mijn stem is dood. En doden komen niet terug, zelfs niet op Qingming.

'Papa wil het ook', gaat ze voort. 'Hij is een goede man, Huan, maar je mag hem niet tarten. Hij is mijn meester. Ik ben met hem getrouwd.'

Voor ik ga slapen maak ik mijn schooltas.

De volgende ochtend krijg ik mijn zhou amper door mijn keel. Ik roer meer in de rijstebrij dan ik ervan eet. De stukken vlees en de groenten in het zuur laat ik liggen. Mijn moeder zit met verdronken ogen naar me te kijken.

'Neem dan een appel mee voor straks.'

Alleen omdat zij het vraagt.

Onderweg treuzel ik. Deze boom kon Tao niet voorbij zonder erin te klimmen. Tot in die vork. Hier ving hij het lieveheersbeestje tussen zijn handen om het aan mij te laten zien. Hier ... Ik spring over krokodillen die er vandaag niet zijn. Het regent altijd, behalve als het moet. Ik hink verder op één been, of de mensen vreemd opkijken of niet. Dat doen ze toch. Nog kom ik veel te vroeg op school. Daar valt alles heel even stil. Ze vergeten om verder te bikkelen of touwtje te springen. Monden vallen open, vingers wijzen, ogen rollen haast uit hun kassen. Achter mijn rug komen de tongen weer los. Ik wil het niet horen, ik luister nog alleen naar mezelf. Niet huilen, Huan. Alleen pijn kan pijn genezen.

* * *

De eerste dagen overladen Mei-Lan en Feng me met vragen en attenties tot ik er bijna gek van word. Als het tot hen doordringt dat ik zal blijven zwijgen, verliezen ze hun belangstelling. Wat heb je aan een vriendin die niet spreekt? Op een ochtend, als de bel gaat, trekt Mei-Lan Feng naast zich in de rij. In de klas gebeurt hetzelfde. Mei-Lan doet alsof haar neus bloedt. Feng kijkt nog even achterom, met een pijnlijke grimas. Ik glimlach. Daar ben ik goed in geworden. Wat zich onder mijn huid afspeelt, gaat niemand iets aan.

Ik ga achteraan zitten, op een bank alleen. Mevrouw Wei, die het ziet, wordt boos. Haar stem klinkt hard.

'Heb ik jullie niet gevraagd om lief voor Huan te zijn? Ze is ziek van verdriet.'

Het wordt plots heel stil. Als ze konden, kropen ze zoals houtwormen in hun bank. Het kan me niet schelen en hun medelijden hoef ik al helemaal niet. Aan de andere kant van de klas staat Kun op. Hij pakt zijn boeken en zijn schooltas en komt naast me zitten. De communist. Ik was liever alleen gebleven. Ik doe alsof ik hem niet zie en als de school uit is, maak ik dat ik het eerst weg ben.

Zodra mijn moeder even niets te doen heeft, zit ze in Tao's kamer, op de rand van zijn bed. Papa en ik horen het aan de vering die kraakt. Soms horen we haar huilen, gesmoord, en één keer heb ik gezien dat er een grote, natte vlek op zijn hoofdkussen zat. Ze heeft het bed nog altijd niet afgehaald. Van de verdwenen kleren zegt ze niets, voor zover ik weet ook niet tegen mijn vader. Het maakt me onrustig, het is zoals in de zomer, wachten op een taifoen.

Op een avond vind ik in mijn kamer een paar draadjes op de vloer en weet ik dat ze de lapjes gevonden heeft. Ik trek de kast open en graai achter mijn truien. Ze zijn er nog. Mijn hart klopt in mijn keel, maar nog rept mama er met geen woord van, al zijn we maar met ons tweeën. Papa is bij de kippen in de tuin. Hij praat tegen hen, dat heb ik een paar dagen geleden per ongeluk gehoord. Hij vertelde hun over Tao. Toen hij zag dat ik eraan kwam, zweeg hij abrupt. Beschaamd. We zijn allemaal een beetje zonderling geworden. Ik vermoed dat mama daarom niets vraagt. Ze wil het liever niet weten. Ze zegt de gewone dingen van altijd en op mijn antwoord lijkt ze niet meer te wachten. Het zou een valstrik kunnen zijn. Hoe gewoner zij doet, hoe groter de kans dat ik op een dag zal antwoorden, per ongeluk. Ik ben op mijn hoede en de lapjes haal ik voorlopig niet meer uit de kast.

Mijn haar komt snel terug. Het breekt donzig uit mijn schedel zoals een kuiken uit een ei. Geld om naar de kapper te gaan heb ik niet meer, maar ik heb deze ochtend goed naar mijn vader gekeken toen hij zich aan het scheren was. Ik ben alleen thuis. Mijn ouders zijn op het rijstveld. Normaal ga ik helpen, recht van school, en maak ik daarna mijn huiswerk, terwijl mama kookt en papa tv kijkt of, steeds vaker, zijn heil bij de kippen zoekt.

Ik gok erop dat ze niet zullen merken dat ik wat later ben. Je scheren duurt niet lang. Bij papa gaat het vanzelf. Ik zet alles klaar, kook een beetje water en giet het bij het koude in de wastafel. Dan spuit ik een noot scheerschuim in mijn hand. Ik verdeel het over mijn schedel en pak het mesje. In de spiegel concentreer ik me op mijn ernstige gezicht, zonder met mijn ogen te knipperen. Ook mijn hand trilt niet. Haal na haal scheer ik mijn haar af en spoel ik het schuim van het mesje. Het drijft op het water. Ik wil niet aan Tao's gezwollen gezicht denken toen de visser hem bovenhaalde, maar mijn gedachten zijn eigenwijs. Mijn ogen vullen zich met tranen. Bij de volgende haal schampt het mesje af en druppelt er bloed van mijn oor omlaag. Ik geef geen krimp. Ik breng een offer.

Beneden slaat een deur. De zware voetstappen van mijn vader komen snel dichterbij. Weglopen kan niet meer, dus ga ik hem tegemoet. Hij is in de keuken.

'Waar was je?' vraagt hij kort. 'Waarom ben je niet naar het rijstveld gekomen?'

Mijn ogen branden. Ik sla ze neer. Mijn vader vloekt, balt een vuist en slaat ze in zijn andere hand. Zijn mond trilt.

'We waren doodongerust', zegt hij.

Op zijn kin is alweer een stoppelbaard doorgekomen. Ik zou graag mijn wang tegen de zijne wrijven, zoals ik deed toen ik klein was. Ik durf het niet.

'Huan', zegt hij.

Zijn ogen schieten vol tranen en hij trekt mijn hoofd tegen zijn borst. Ik mag niet zien dat hij huilt. Hij drukt een kus op mijn schedel.

'Heb je geprobeerd om je te scheren?' vraagt hij.

Ik knik.

'Ik weet niet waarom je dat doet, Huan. Dat en zwijgen. Je hoeft dat niet te doen. We houden van je en dat zullen we altijd doen.'

Er valt een traan op mijn schedel. Ze is warm, zoals het bloed daarstraks. Mijn vader streelt het wondje boven mijn oor.

'Ik zal een tondeuse voor je kopen', zegt hij. 'Maar Huan … Ik was trots op je vlechten. Het waren de dikste van het hele dorp.'

Ik maak me los uit zijn omhelzing, nu mijn rug nog recht en sterk is.

Papa houdt woord. Enkele dagen later vind ik een tondeuse op mijn bed. Er ligt een kleiner pakje naast, met een rood lint eromheen. Ik maak het open en zie een gloednieuwe lippenstift. Waarom? Ik ben pas twaalf. Even kom ik in de verleiding hem te proberen, dan verman ik me en stop ik hem bij de andere, het stompje, onderaan in de zak met de lapjes. Het mag niet. Ik ben niet langer een meisje. Geen meisje meer en nooit een jongen. Wie ben ik dan wel? Het is een gevaarlijke vraag die ik me beter niet kan stellen.

Op school zijn er die me achter mijn rug Zonder Tong noemen. Ik weet het omdat Kun tegen hen is uitgevaren. Hij moet zich niet zo voor me uitsloven. Het is niet omdat ik nu eenzaam ben, dat ik plots vrienden met hem wil worden. Hij doet het om zelf niet alleen te zijn. Hij is de communist. En ik ben Zonder Tong. Twee onherbergzame eilanden voor het vasteland van de rest, omgeven door een te sterke stroming om ooit dichter naar elkaar toe te drijven.

Tijdens mijn afwezigheid na Tao's dood heeft Mei-Lan mijn rol van vogelverkoopster gekregen. Ik vind het niet erg, alleen dat zij het is. Ik was haar beste vriendin en nu ben ik slechte lucht die je beter niet inademt. Ze is nu heel dik met Feng, die me alleen nog stiekem opzoekt. Feng vergoelijkt haar. Of ze wil mij sparen. 'Mei-Lan is bang voor je', vertelde ze me deze ochtend. 'Ze gelooft dat je behekst bent. Als je gewoon zou uitleggen waarom je dat doet, je kaalscheren en niet meer spreken ... Kun je niet of wil je niet? Je kunt het toch opschrijven?' Ik schudde het hoofd en glimlachte en toen werd Feng boos en droop ze af. Als ik een reden geef, zullen ze die proberen af te breken. Ze zullen niet aflaten en aan het eind zal ik hun medelijden willen geloven en het zal mijn gegeven woord aantasten, zoals zure regen met de bomen doet. In de musical ben ik nu een moerbeiboom. Ik hoef niet te spreken. Ik hoef zelfs niet te dansen. Ik moet alleen met mijn wortels stevig in mijn geboortegrond blijven staan en met mijn kruin zachtjes wiegen in de wind, in zon of regen, dag of nacht. Het helpt een moerbeiboom te zijn. Het maakt me sterk.

✻✻✻

Vandaag heb ik zeker veertig gieters met water gevuld, beneden aan de pomp. Twintig keer de heuvel op, een gieter in elke hand, tot mijn armen zowat uit mijn schouders vielen. Op het laatst struikelde ik voortdurend en klotste er bijna meer water over de rand dan er op het veld terechtkwam. Ik wilde niet stoppen, dat deden mama en papa ook niet. De terrassen met de rijst liggen er droog bij. Je kunt nauwelijks geloven dat ze een paar weken geleden nog blank stonden onder de moessonregens. Het water is diep in de grond getrokken en de wind heeft alles met geel stof bedekt. We gieten elke dag, rij na rij na rij. De zomer is dit jaar vroeger begonnen dan anders en hij is onwaarschijnlijk heet.

We zijn klaar met eten. Ik was te moe om veel trek te hebben, maar mijn moeder vindt dat net een reden om dubbel op te scheppen. Ik moet ook nog groeien. Zelf lijkt ze elke dag te krimpen. Ik help haar de tafel af te ruimen en daarna met de afwas.

'Moet je niet leren?' vraagt ze. 'Hoe was het trouwens op school? Is er nog iets gezegd over het feest? Je was een prachtige moerbeiboom, Huan.'

Altijd maar vragen. Ik moet op mijn hoede zijn. De antwoorden liggen nog te vaak op het puntje van mijn tong.

Het feest was een kwelling. Al die mensen, al die drukte. Ik houd niet meer van vrolijkheid, die toch maar zout in de wonde strooit. Bovendien zweette ik me een ongeluk onder de muts die mijn kruin moest voorstellen. Ze was bestikt met blaadjes en bloesem. Mijn moeder had er uren aan gewerkt. Ik voelde de druppels uit mijn schedel borrelen. Ze liepen onder de rand uit en gleden over mijn gezicht. Ik was bang dat de schmink zou uitlopen.

'Mei-Lan zag er prachtig uit', zegt mijn moeder. Ze denkt dat we nog altijd vriendinnen zijn. 'Haar moeder vertelde dat ze zo met je begaan is. Ze vroeg wanneer je weer eens kwam. Dat zou je echt moeten doen, Huan. Haar ouders zijn zulke lieve mensen.'

Mama vindt dat ik me te veel afzonder. Op een avond heb ik haar en papa erover horen praten. Ze zeiden dat het niet normaal is voor een jong meisje.

'En papa heeft met de vader van Feng gesproken. Hun neef zit nog altijd vast, wist je dat? Die ouders moeten gek zijn van angst. Ze mogen brieven sturen, maar moeten elk woord wikken en wegen. Het is zelfs de vraag of Chang ze wel in handen krijgt. Leeft hij nog? Antwoord krijgen ze niet. Stel dat hij dood is ... Ze hebben zelfs geen graf.'

Op de twaalfde dag van de derde maanmaand, in april, hebben we Qingming gevierd. Eerst bezochten we, zoals we dat elk jaar doen, het graf van papa's ouders. Mijn vader maakte het schoon en wiedde het onkruid. Mijn moeder plantte een bos viooltjes en offerde rijstwijn en voedsel, dat we daarna opaten. In de namiddag zijn we naar Tao gegaan. Mijn moeder had zijn lievelingskostjes klaargemaakt. Oma en opa kwamen ook. Ze brachten perziken mee, nieuw levenssap voor zijn ziel. Tegen mij probeerden ze gewoon te doen, maar hun mond verraadde hen, alsof hij trok onder de koortsblaren. Ze praatten tegen me en stelden vragen en hoopten op een antwoord, zonder dat nog echt te verwachten. Zoals je tegen een baby praat of tegen heel oude mensen, bij wie de woorden tussen hun rimpels verloren werden gelegd. En ze keken me niet één keer aan.

Mijn moeder ratelt maar voort. De stilte bloedt en ze krijgt haar niet gestelpt. Ik pak de vaatdoek uit haar handen en duw haar naar de kamer, terwijl ik het aanrecht schoonmaak en thee zet. Mijn beker neem ik mee naar boven. Dat is een gewoonte geworden. Ze denken dat ik studeer, maar in werkelijkheid spurt ik me door mijn huiswerk en mijn lessen om sneller de zak met de lapjes te kunnen nemen. Ik heb ondervonden dat ik ze eerst moet omzomen, anders rafelen ze uit en moet ik opnieuw beginnen. Het is een geduldwerkje, maar ik heb tijd. De rest van mijn leven. Waarom heb ik dan die haast?

Ik knip een draad af. Als ik hem door het oog van de naald wil halen, moet ik het een paar keer opnieuw proberen. Mijn ogen vechten tegen de slaap. Telkens als ik een lapje klaar heb, naai ik het aan de deken. Ooit, ooit zal ze passen om mijn verdriet.

1985

Straks is Tao drie jaar dood. Het is de zevende dag van het lentefeest en we vieren Yan Yat. In het begin der tijden werd op de zevende dag de mens geschapen en daarom is iedereen jarig vandaag.

Ik ben vijftien jaar en behoor tot het derde leerjaar. Mei-Lan en Feng zijn beste vriendinnen geworden. Ze fluisteren en giechelen over jongens en tijdens de pauze experimenteren ze met make-up, die ze er weer moeten afboenen voor de lessen opnieuw beginnen. Feng zoekt me niet langer stiekem op, maar als haar blik per ongeluk de mijne kruist, glimlacht ze met een pijnlijke mengeling van schaamte en medelijden. Ik hoef geen medelijden. Ook niet van Kun. Elk nieuw schooljaar is hij naast me komen zitten, met een onbegrijpelijke onverzettelijkheid. Ik vind dat zowel ergerlijk als bewonderenswaardig, want ik keur hem geen blik waardig. Niemand doet dat. Toen onlangs de schoenmaker werd opgepakt voor ondergronds tegenwerken van de Partij, werden Kuns ouders genoemd als verklikkers. Papa zegt dat ik hem niet mag vertrouwen, alsof ik daar ook maar één seconde over zou denken.

De leerkrachten doen niet langer moeite me bij de les te betrekken. Ik zet de boel niet op stelten en ik haal goede cijfers. Ze overhoren me schriftelijk. Nu mijn lappendeken klaar is, heb ik weer meer tijd om te studeren. Ik studeer om mijn ouders een plezier te doen en mezelf sta ik toe ervan te genieten zolang het nog duurt – het kost immers genoeg geld – en zolang ik maar stevig met mijn twee voeten in het rijstveld blijf staan. Straks dient al die boekenwijsheid tot niets, dan moet ik het hebben van mijn handen en mijn gezond verstand. Ooit fantaseerde ik dat ik zou uitbreken uit mijn dorp, waar de mensen klein en onwetend worden gehouden en 's nachts in hun dromen nog met hun voeten in de modder staan. Ik heb altijd geweten dat mijn fantasieën illusies waren, maar illusies die je even deden glimlachen, zoals je een zeepbel onthoudt door de kleuren en niet door het uit elkaar spatten ervan. Op het platteland gaat bijna niemand naar de universiteit. Het toegangsexamen, gaokao, is aartsmoeilijk, en waar zouden ze het geld vandaan halen? Wie naar de stad trekt, gaat noodgedwongen. Om beter werk te vinden, zoals de ouders van Mulan. Ze woont al twee jaar bij haar oma en opa en ziet haar ouders alleen voor het lentefeest. Dan brengen ze cadeautjes mee, pleisters op de tranen. Ook nu zijn ze er weer. Mulan bloeit open zoals haar naam, magnoliabloesem.

Mijn ouders zijn trots op mijn cijfers.

'Als je wilde praten, zou je later een goede lerares kunnen zijn', zegt mijn vader.

Een paar weken geleden zijn ze nog eens met me bij de dokter geweest. Ik zeg niet meer dat ik niet wil. Ik gehoorzaam. Zij doen wat ouders doen en ik moet doen wat kinderen doen, want zoals ik maar een zus was door mijn broer, zijn zij maar vader en moeder door mij. Ik ben hun laatste kans. Mijn tong en stembanden zijn in orde. 'Ik denk dat ze niet wil', heeft de dokter tegen mijn ouders gezegd. 'Ze zou in de stad naar een psychiater moeten gaan.' Daar kon geen sprake van zijn. Een psychiater is voor gekken, en wat kan hij meer tegen koppigheid doen dan zij? Boos waren ze niet. Mijn vader vroeg alleen of het zo was. Ik wilde niet liegen. 'Je zult wel een goede reden hebben,' zei hij, 'maar ik, en mama ook, we zijn ontgoocheld dat je ons niet vertrouwt. Wij vertrouwen jou wel. We zouden je niet verplicht hebben.' Toen heb ik het allemaal opgeschreven. Mijn angst, mijn boosheid, mijn schuld. Toen ze de brief gelezen hadden, schudden ze verdrietig het hoofd. 'Wij treuren ook om Tao, maar jij laat hem elke dag opnieuw sterven. Gun de doden rust en gedenk de levenden, zusje.' Ik probeer het, papa, ik probeer het, maar ik kan het niet.

Om hun pijn een klein beetje te verzachten doe ik op school extra mijn best. Papa's ogen lichten op als hij mijn rapport bekijkt, en hij lacht maar weinig meer. Mijn moeder glimlacht nog alleen als hij lacht.

Ik ben de slimste van de klas. De anderen vinden het niet normaal dat ik me zo uitsloof. Van Zonder Tong verandert mijn naam steeds vaker in Zonderling. Ik ken niets van muziek en ik ben nog nooit gaan dansen. Ze durven te zweren dat ik nog nooit een jongen heb gekust. 'Huan is geen meisje', zeggen ze. 'Misschien is ze lesbisch, dan is ze vast de man van de twee.' Ik weet niet waarom Kun het me vertelt. Gaandeweg wordt de veronderstelling een gerucht en ze blijven nog verder uit mijn buurt. Alleen hij blijft, Kun, als een hinderlijke schaduw.

We zijn voor de nieuwjaarsperiode naar mijn grootouders gereisd. Ze werden te oud om naar ons toe te komen. Mijn grootmoeder heeft chronisch last van dikke benen. Al het water van het rijstveld is erin getrokken, zoals in een spons. Eerst had papa een beetje tegengesputterd, vanwege de kippen. We hebben er nu zes. Af en toe hebben we er ook een opgegeten, maar niet van het eerste koppel. Die zijn heilig. Papa vertroetelt en verwent ze alsof de geest van Tao in hen gevaren is. Ze krijgen de beste verzorging en de lekkerste hapjes en mogen blijven leven, of de hennen nog eieren leggen of niet, tot ze sterven op hun oude dag. De buurman heeft beloofd tijdens onze afwezigheid naar de kippen om te kijken.

Het was de eerste keer dat ik met de trein reisde. In mijn maag roerde zich een vreemde knoop van spanning en opwinding. De hele rit hield ik mijn muts op. Mijn ouders voelen zich ongemakkelijk als vreemden mijn kale schedel zien. Mij deert het niet, maar het was koud genoeg voor een muts. Buiten flirtte de temperatuur met het vriespunt. Als ik niet uit het raampje keek, las ik in mijn boek. Ik denk dat niemand van de andere passagiers doorhad dat ik niet praatte en hier, in het dorp van mijn grootouders, heeft iedereen het druk met zijn eigen bezoek.

In oma's nabijheid bloeit mijn moeder op. Ze is weer het kleine meisje dat voor een paar dagen onder haar vleugels mag kruipen en neemt tegelijk op haar beurt oma als een breekbaar kuiken onder haar eigen vleugels. Mijn grootmoeder loopt nu helemaal krom. 'Dan schrik ik straks niet te hard van de grond waarin ik begraven word', lacht ze. Mama loopt en bereddert, ze schrobt het huis, roert in de kookpotten, knipt oma's haar en de nagels van haar vingers en tenen. Ze praten ook uren en soms houden ze elkaar vast en huilen ze samen, terwijl mijn vader opa helpt met een paar klussen aan het huis. Sinds kort heeft mijn grootvader hoogtevrees op een ladder. Ik lees of ga op verkenning in het dorp, met mijn muts tot over mijn oren getrokken. Eén keer word ik door iemand aangesproken.

'Ben je niet een dochter van Xia?' vraagt de vrouw. 'Vroeger was ik haar beste vriendin. Je lijkt sprekend op haar.'

Ik knik benauwd en kan me niet snel genoeg uit de voeten maken. Ik ga niet meer wandelen. Er is meer dan genoeg werk in de keuken. Vandaag, op Yan Yat, eten we Yu Shen, dunne plakjes rauwe vis. Dat wil de traditie. Wie ervan eet, zal gezegend worden met een lang leven. Opa heft zijn glas en gaat met zijn blik de tafel rond. Op elk van ons blijven zijn ogen even rusten.

'Op nog vele jaren samen', toost hij.

Ik heb ook rijstwijn gekregen, ik ben groot genoeg. Ik tik mijn glas tegen het hunne en voel me een klein beetje gelukkig. Van de wijn nip ik alleen. Ik wil niet dronken worden en mijn mond voorbij praten. Op het nieuwe jaar. Als ik naar oma kijk, die klein en verschrompeld in opa's arm zit als in een te ruim geworden jas, overvalt me een naar voorgevoel. Het is ook mijn ouders niet ontgaan. De volgende ochtend, aan de ontbijttafel, vragen ze aan mijn grootouders of ze niet bij ons willen komen wonen. Oma en opa schrikken niet, ze hebben die vraag verwacht. Zo gaat het in miljoenen gezinnen, maar oma schudt zachtjes het hoofd en opa zegt dat je oude bomen niet mag verplanten.

Bij mijn moeder komt de klap hard aan. Als we na het lantaarnfeest weer naar huis vertrekken, moet papa haar bijna van oma losscheuren. Bijna, bijna spreek ik, alleen om haar te troosten, maar er komt geen geluid uit mijn keel.

***

Als we thuiskomen, is onze haan op sterven na dood. Hij zit opgezwollen in een hoek van het hok, met zijn kop weggedoken tussen zijn uitgedunde veren. Ze liggen overal. Net als mijn vader op het punt staat om briesend naar de buurman te stampen, klopt de man zelf aan. Hij is ontdaan en verfrommelt nerveus zijn pet in zijn handen. Mijn vader wil tegen hem uitvaren en mama heeft alle moeite hem tot bedaren te brengen.

'Laat buurman eerst praten', zegt ze. 'Huan, zet jij even een pot thee?'

'Niet voor mij', zegt de man gehaast. Hij is bang, durft niemand aan te kijken. 'Ik kom pas van tafel en jullie zullen het wel druk hebben met uitpakken.'

'Kom maar ter zake', zegt mijn vader nors.

De spanning verspreidt zich als gaslucht in de kamer. Ik krijg mezelf niet in beweging om toch die thee maar te gaan zetten. Eén verkeerd woord, één onverhoeds gebaar kan de situatie doen ontploffen. Ik druk mijn rug tegen de muur, houd mijn adem in die te luid klinkt.

'Ik heb hem elke dag eten en vers water gegeven', hakkelt buurman. 'Alles precies zoals u had gevraagd. Mijn vrouw denkt dat hij in shock is door het vuurwerk. De ochtend daarna was het hok een slagveld van veren, alsof hij er alle hoeken van gezien had. Ze hingen tot in de draad. Hij heeft sindsdien ook niet meer gekraaid.'

'Vorig jaar was er ook vuurwerk. En het jaar daarvoor ook.'

'We ... we zullen een nieuwe voor u kopen.'

'Dat is niet nodig', zegt mijn moeder snel, voor mijn vader kan schreeuwen dat hij geen nieuwe wil, dat het deze is of geen. Ze gaat tussen hem en de buurman staan, met haar rug naar papa toe, die daardoor uit zijn lood geslagen wordt. Haar rug die hem afwijst, provoceert, of net vertrouwt? In dat ene ogenblik lijkt ze groter dan ze is, groter dan de twee mannen, hoewel ze maar tot hun schouders komt. 'We twijfelen niet aan uw goede zorgen', gaat ze verder tegen de buurman. 'Ik heb hier nog wat mandarijntjes. En wens uw vrouw en Dingbang ook een gelukkig nieuwjaar van ons.'

De man weet niet hoe snel hij achteruit de kamer uit moet schuifelen, zijn pet platgedrukt tussen zijn handen. Ik houd me klaar om de deur achter zijn hielen dicht te doen, voor mijn vader tegen mijn moeder tekeergaat. Ze is zijn vrouw, ze moet achter hem staan. Hij kijkt naar haar rug. Wacht. Hij is geen lafaard. De stilte rolt uit zijn mond als een tsunami. Mijn moeder draait zich naar hem om, zo langzaam dat het beeld vertraagd lijkt, bijna hortend. Ze loopt recht de vloedgolf in. Mijn adem verdrinkt in mijn keel. Ze legt haar handen om zijn gezicht en trekt zijn hoofd omlaag, tot op haar schouder. Mijn vader barst in een onbedaarlijk snikken uit. Hij leunt zo zwaar op haar dat ik vrees dat ze onder zijn gewicht zal bezwijken. Ze geeft zachte klopjes op zijn rug, zoals ze dat vroeger bij mij en Tao deed, als we in ons kinderverdriet bleven steken, en sust hem met dezelfde woordjes: 'Stil maar, rustig maar, alles komt in orde, ik ben er toch.' Het schokken mindert en houdt ten slotte op, maar nog sust en wiegt ze papa in haar armen. Ik pak mezelf vast, houd me tussen mijn armen krampachtig bij elkaar als rijstkorrels in een te krappe juten baal, om niet te scheuren, niet tussen hen te hoeven kiezen, en eindelijk om van opluchting niet uit elkaar te vallen. Na wat een eeuw lijkt richt papa zijn hoofd weer op. Hij veegt zijn ogen droog en de snot van zijn gezicht, en strijkt met de rug van zijn hand over mama's wang. Hij glimlacht zoals heel oud en heel dun porselein, doorschijnend, met een web van haarfijne scheurtjes.

'Ik ga maar eens naar de tuin', zegt hij.

Mijn moeder knikt.

'Doe dat, lieve. Dan ga ik even liggen. Ik ben moe.'

Het was de genadeslag. Al haar krachten, tot en met haar laatste reserves, stopte mijn moeder in die paar minuten. Toen ze zich omdraaide om naar bed te gaan, schuifelde ze meer dan ze liep, in één klap geslonken tot haar schaduw. Het is intussen april en ik heb haar niet meer sterk of opgewekt gezien. Zelfs haar stem is niet meer dan een schor gefluister van trage, spaarzame woorden. Als een zuchtje wind, zo beweegt ze zich door het huis. Ze staat op omdat het moet en wast zich en eet omdat het moet, elke dag een beetje minder, zodat haar huid elke dag wat ruimer valt, dunner wordt om haar ogen, kleine sneetjes krijgt boven haar samengetrokken mond. Haar gezicht verwelkt vroegtijdig zoals een door de regen gekneusde bloem. Ze sleept zich naar het rijstveld, waar ze werkt zonder op te kijken, soms staart ze nietsziend voor zich uit tot ze schrikt van een onverwacht geluid of van de hand van mijn vader op haar arm. 'Gaat het, lieve?' Ik help waar ik kan, op het veld en in huis. Ik kook, was, poets. Papa doet de vaat. Als ik wil afdrogen, stuurt hij me naar mijn kamer. 'Je moet studeren, Huan. Het is je toekomst.'

Enkele weken geleden heb ik nog eens op een briefje geschreven dat het rijstveld mijn toekomst is, het eten in hun en in mijn kom, en dat ik beter thuis zou blijven, zodat mama kan rusten en beter worden. Papa heeft het briefje gelezen en herlezen. Daarna heeft hij het voor zich op tafel gelegd en alles eindeloos gladgestreken, het briefje, de woorden, zijn twijfel, voor hij het me teruggaf, met een vochtige glans in zijn ogen, en opstond om naar de tuin te gaan.

De haan is begraven en de kippen zijn geslacht. Het hok is afgebroken. Op die plek heb ik mijn eigen moestuin gekregen. Mijn vader heeft een afdakje met een bank eronder getimmerd. Elke avond zit hij daar en kijkt hij hoe de zon ondergaat of hoe de regen valt. Het regent vaak bij ons. Zelfs de hemel wordt niet gespaard van verdriet.

Voor het derde jaar vieren we Qingming bij het graf van mijn broer. De voorbije dagen leek mijn moeder op te flakkeren. Ze wilde absoluut zelf naar de markt gaan om de verste groenten en de geurigste perziken uit te kiezen, de dikste vissen en het malste vlees. In de keuken liep ik haar opeens in de weg, terwijl ze toch aanhoudend mopperde dat ze nooit alles op tijd klaar zou krijgen. Achter haar rug glimlachte papa naar me. Laat haar maar. Het was een brokkelige glimlach, op de rand van de afgrond.

We zitten in het gras. Een flauw zonnetje heeft de regen van vannacht opgedroogd en de wind staat niet te strak. Links en rechts herken ik mensen uit het dorp of van school. Iedereen wil zijn voorouders eren en hun zielen gunstig stemmen, opdat ze niet als boze geesten onheil zaaien over de levenden. De picknickmanden puilen uit met de lekkerste hapjes.

Sommigen, bij wie de wonden nog vers zijn, eten ingetogen en moeten met het voedsel ook het verdriet wegslikken dat ze niet fijngekauwd krijgen, bij anderen gaat het er bijna vrolijk aan toe. Oma en opa zijn te oud geworden om te komen. Gisteren hebben ze lang met mama getelefoneerd. Ik hoorde haar opnieuw vragen of ze niet bij ons kwamen wonen. Ze werd kwaad, maar nadat ze had opgehangen, begon ze te huilen en mijn vader, die haar wilde troosten, duwde ze weg.

'Ik heb niemand meer', zei ze.

Dat stak. Het herinnerde me aan wat ik bijna was vergeten. Ik zat lang op het bankje in de tuin. Niemand hoefde mijn verdriet te zien, het was het lot van mijn geboorte. Toch bleef ik luisteren of ik de voetstappen van mijn vader niet hoorde, maar net die ene avond kwam hij niet. Hij moet mama al troosten, zei ik bij mezelf. En nu heeft zij hem ook tot niemand gemaakt. Hij zou komen als hij kon. Zelfs de sterren leken verder weg dan anders.

Vandaag heeft mama geen tranen, maar een koortsige glans in haar ogen. Haar wangen hebben een onnatuurlijke blos en ze praat aan één stuk door over Tao. Hoe hij zus en hoe hij zo. En dit en dat. Alsof hij echt uit de dood teruggekomen is en straks gewoon met ons mee naar huis zal gaan, op de ladder zal klimmen al zegt ze zeven keer 'pas toch op', en in de gingkoboom waar de kat van Dingbang niet meer naar beneden durft, en Dingbang niet in, zijn mond is groter dan zijn moed. Hij is dan ook geen draak zoals onze Tao, en ze zegt tegen papa dat we morgen naar de markt moeten voor een nieuwe haan en kippen. Ik huiver als ik haar zie en hoor. Ik sluit mijn ogen en oren, drijf weg op mijn eigen gedachten.

Toen we Tao in zijn graf legden, zei papa dat zijn ziel, die hij bij zijn verwekking gekregen had, bij hem zou blijven, zodat hij zich minder eenzaam zou voelen. Maar waarom blijft ze dan niet bij hem tot in eeuwigheid? Waarom verliest ze dan beetje bij beetje aan kracht tot ze aarde in de aarde geworden is en klaar is om zich stilletjes terug te trekken bij de gele bronnen in de onderwereld? Gaat eenzaamheid dan over als je lichaam helemaal ontbonden is? Als het geen ogen meer heeft om te huilen, geen huid die je kunt schaven of verbranden, geen hart vol gemis? En is een jonge ziel sterker dan een oude, of integendeel net zwakker en weerlozer tegen de listen van het Duister? Kan ze wel gelukkig zijn als ze is afgebroken in de knop, zonder kleur of geur? Of zou ze op wraak zinnen en terugkeren als een boze geest? Is ze misschien al in mama gevaren?

Haar stem klinkt steeds schriller, alsof ze boven het gekwetter van de vogels in de bomen uit wil komen. Ze zijn onrustig, er zitten vast jongen in het nest. Achter de dijk van mama's woorden hoor ik haar tranen stukslaan. Ik bid tot Tao's tweede ziel, de ziel die je krijgt bij je geboorte en die na je dood terugkeert naar de hemel. Ik hoop dat ze onderweg aan de duistere krachten heeft weten te ontkomen en veilig is aangekomen. Dat moet wel. Tao was sterk en dapper. Hij was een draak. Ik vraag aan zijn ziel of ze mama en papa wil beschermen en gelukkig maken, en oma en opa ook. En bewaar ook mij zodat ik voor hen kan zorgen, vraag ik, al sta ik bij Tao in het krijt. Ik heb ogen gekregen om te waken en ik heb ze niet gebruikt.

'Je eet niet, Huan', stoot mijn vader me zachtjes aan. 'Neem wat bami met garnalen. De zeeoor is ook erg lekker. Je moeder heeft zichzelf overtroffen.'

Ze is stilgevallen en kijkt, met haar handen nutteloos in haar schoot, naar een andere wereld dan de onze.

Mijn moeder is nooit meer uit haar schaduwland teruggekeerd. Ze komt ook niet meer buiten, zelfs niet op het rijstveld. Alleen nog in de tuin. Dan lijkt het of ze iets zoekt, maar het nergens kan vinden. Na een tijd wordt duidelijk dat het de haan en de kippen zijn die papa opnieuw moest kopen, dat had hij toch beloofd? In een wanhoopspoging om haar weer bij ons te hebben, brengt hij er mee van de markt. Hij heeft eerst aan mij gevraagd of het mocht. Natuurlijk, maar toen hij mijn moestuin omspitte om er opnieuw een hok te maken, verloor ik weer een stukje van mezelf.

Het is nu mijn moeder die uren op het bankje bij de kippen doorbrengt. Mijn vader kijkt ernaar als in een spiegel en verontschuldigt zich bij mij. 'Het spijt me als ik er niet altijd voor je geweest ben, Huan. Vanaf nu wordt het anders, ik zal vader en moeder voor je zijn.'

Dat hoeft niet, papa. Ik ben groot. Mama heeft je meer nodig dan ik.

Ons. Ons heeft ze nodig. Ze is ons kind geworden.

Op een dag trekt mijn vader zijn goede kleren aan. Hij heeft ook de hare klaar gehangen. Eerst vult hij zoals elke zaterdag de gietijzeren tobbe voor haar met emmers warm water en strooit er een handvol magnoliabloesems in. Ze laat zich gewillig wassen, ook haar haren, die dun zijn geworden, met meer grijs dan zwart. Hij neemt haar mee naar de dokter, die alleen maar het hoofd kan schudden en haar iets geeft tegen het maandelijks bloeden dat niet meer stopt. Haar leven vloeit weg tussen haar benen.

'Haar schoot huilt', zegt de dokter. 'Ze baart haar verdriet. Alleen liefde kan haar genezen.'

Als het avond is en zij al naar bed is gegaan en papa en ik nog alleen aan de tafel zitten, vertelt hij het me, met zijn hoofd in zijn handen om het te ondersteunen. Alsof het van zwaarte van zijn hals kan rollen.

'Het is een wijze dokter', zegt hij. Toch lijkt hij wanhopig.

Ik weet wat hij niet uitspreekt. Hij en ik geven mama alle liefde die we hebben, maar ze wil die van haar zoon. Daarom laat ze zich zachtjes sterven. Ze is nu zo mager dat haar jukbeenderen als een berggraat uit haar gezicht steken. Helemaal beneden in het dal versmacht het moeras haar ogen.

Mijn vader werkt voor twee. Hij staat zo stil mogelijk op, maar ik hoor het toch en kom ook uit bed. Ik zet thee en we eten de restjes bami van de vorige avond. Mama laten we slapen. Tegen zonsopgang zijn we op het rijstveld.

Bijna twee maanden geleden zijn de rijstzaden geweekt en in kweekbakken gezaaid. Dat heeft mama nog gedaan, een van de laatste dingen. Papa heeft het veld omgeploegd. Nu is het de hoogste tijd om de rijstplantjes uit te zetten, telkens drie bij elkaar in een kuiltje, rij na rij. Zo vroeg op de dag bijt het water nog in onze handen en enkels, maar klagen is voor de dommen die niet verder denken dan vandaag. Zonder de ondergelopen terrassen zouden we straks dubbel zoveel onkruid moeten wieden. De muggen zijn een grotere plaag en ik heb nog niet de rust van mijn vader om ze niet voortdurend weg te slaan. Als we geld hadden, konden we vissen uitzetten. Ik hoop maar dat we geen malaria krijgen.

Ik heb mijn strohoed op mijn rug hangen voor als straks de zon feller schijnt. Ik ben niet van plan om nog naar school te gaan. Nooit meer. Daar denkt papa nog steeds anders over. Hij heeft net zo stug doorgewerkt als ik, maar nu zegt hij 'Kom', op een toon die geen tegenspraak duldt.

Mama is in de keuken en heeft een van haar betere dagen. Ze heeft verse thee gezet en wat rijst gekookt met sojamelk. Stilzwijgend schuift ze de kommen naar ons toe, maar aan het eind van dat gebaar valt haar hand alweer dood neer als een afgeschoten vogel. Ze zinkt opnieuw weg in de nevelige diepten van haar geest. Ik begin te eten. Ik wil zo vlug mogelijk weer aan het werk.

'Ga je wassen en omkleden, het is tijd voor school', zegt mijn vader.

Ik schud het hoofd.

'Ik vraag het je nog één keer vriendelijk, Huan.'

Als ik koppig blijf zitten, springt hij vloekend op en trekt me, bij gebrek aan een vlecht, bij mijn oor overeind. Ik voel iets scheuren.

'Ga je of moet ik je zelf met je hoofd onder de kraan duwen?'

Ik bijt mijn tanden in mijn lip en de schreeuw kruipt terug in mijn keel, tegelijk met het bloed dat ik van mijn mond heb gelikt. Ik kan het uren later nog proeven.

❋❋❋

Onder het korstje aan mijn oorlel is nieuwe huid gegroeid, een wit sneetje, niet dikker dan de snijkant van een mes. De wond in mijn hart geneest trager. Daar blijft papa boos op me, al bloedde zijn hart harder dan mijn oor toen hij zichzelf weer in de hand had.

Ik sta tegelijk met hem op, help hem tot het tijd is en ga dan zonder nog tegen te stribbelen naar school. Na de lessen vlieg ik weer naar huis. In het begin moest ik onderweg blijven staan, omdat ik buiten adem was of steken kreeg in mijn zij, maar nu zou niemand me nog kunnen inhalen. Niet dat iemand dat wil, ik interesseer hen niet meer. Ik ben zelfs niet meer de moeite om over te roddelen. De enige die koppig mijn gezelschap blijft opzoeken, is Kun. Ik heb me erbij neergelegd, zoals bij goed of slecht weer, dat komt ook ongevraagd en vaak ongelegen. Als hij er op een dag niet is, stel ik vast dat ik hem mis. Onze lerares zegt dat hij gevallen is en een hersenschudding heeft. Er is een vrijwilliger nodig om zijn schriften bij te houden en ze bij hem thuis te brengen. Zoals te verwachten viel, biedt niemand zich aan. Ze kijken stuk voor stuk de verf van hun bank of beginnen in hun etui te rommelen en wie durft, kijkt naar mij. Het is goed, ik zal wel gaan. Zolang het me maar niet te veel tijd kost. Hij en ik hebben niets bij elkaar te zoeken. Het enige wat ons bindt, is de eenzaamheid. Het is ook wat ons scheidt.

De volgende dag schrijf ik een briefje voor mijn vader dat ik later thuis zal zijn. Ik moet eerst nog ergens naartoe. Hij kijkt verrast, bijna hoopvol, op.

'Naar een vriendin?'

Iemand van de klas die ziek is.

'Wie dan?'

Mijn vader fronst als hij Kuns naam leest.

'Je weet wat van zijn familie gezegd wordt ... Zul je voorzichtig zijn, Huan?'

Ik grijns maar eens. Er is weinig kans dat ik mijn mond voorbij zal praten.

Papa's lepel is nutteloos boven zijn kom blijven hangen. Hij wil iets zeggen, maar weet niet goed hoe.

'Je gaat nooit uit', zegt hij uiteindelijk. 'Meisjes van jouw leeftijd doen dat. We zullen in het weekend op de markt nieuwe kleren voor je kopen. Je bent de laatste tijd hard gegroeid.'

Kun woont aan de rand van het dorp, in een huis dat weinig of niet verschilt van de andere. Alleen hangen er gordijnen voor de ramen, in een donkere, zware stof. Ze blijven meestal dichtgeschoven. Voor de kost werken zijn ouders gewoon op het rijstveld, maar zijn vader is ook burgemeester. Veel houdt dat niet in. De mensen komen bij hem als er iemand geboren wordt of doodgaat en hij schrijft dat op in een boek, met een stempel erop. Soms krijgt iemand ook papieren die hij niet begrijpt, of zelfs niet kan lezen. Kuns vader zoekt het dan voor hem uit of hij vult de papieren in. Wie niet kan schrijven mag een kruisje in plaats van zijn naam zetten, of in bepaalde gevallen een inktafdruk van zijn duim. De gordijnen blijven dicht om de privacy van de dorpelingen te beschermen als ze bij de burgemeester zijn, maar achter de hand wordt gefluisterd dat daarbinnen het broeinest van de verraders is.

Ik klop aan. Geen antwoord. Ik klop nog een keer, harder, maar opnieuw onverrichter zake. Ik duw de deur open. Voor mijn voeten snijdt de zon een driehoek licht uit in het schemerdonker. Achter me doe ik de deur weer dicht. Mijn ogen moeten even wennen. Een tafel met vier stoelen. Planken met serviesgoed tegen de muur. In de hoek een kast met een sleutelgat, maar zonder sleutel op de deur, waarschijnlijk voor de papieren die niemand mag zien. Ik veronderstel dat Kuns vader de sleutel aan een touwtje om zijn hals draagt. Wedden dat hij hem zelfs niet afdoet om te slapen? Aan de andere kant staat een laag kastje met een tv erop. Ik weet niet wat ik moet doen. Waarschijnlijk slaapt Kun en werken zijn ouders op het veld. Op het tv-toestel staat een foto in een zilverkleurig lijstje. Ik loop ernaartoe. Een man, een vrouw, een jongetje tussen hen in. Ik schat hem ongeveer zo oud als Tao was toen hij stierf. Zijn haar was sluik en in een pony geknipt, nu draagt hij het kortgeknipt.

'Toen was ik nog klein en lief, nu alleen nog lief', zegt hij.

Ik heb hem niet horen binnenkomen. Betrapt draai ik me om.

Hij heeft een verband om zijn hoofd. Hij is ook bleker dan anders en zachter, bijna kwetsbaar, zonder zijn bril met het dikke, zwarte montuur. Ik pak zijn schriften uit mijn tas en geef ze hem. Zonder erin te kijken legt hij ze op tafel.

'Wil je niet gaan zitten? Wil je iets drinken?'

Bij elke vraag schud ik van nee. We staan onwennig tegenover elkaar, veel te dicht. De lucht tussen ons beweegt op onze adem, zoals getijden, af en aan, gevangen in dezelfde maan. Als ik mijn hand opsteek bij wijze van afscheidsgroet, plukt hij ze uit de lucht en laat hij ze niet meer los.

'Kom.'

Hij trekt me mee naar een bank in de verste hoek. Het is er nog donkerder dan in de rest van de kamer. Op de bank liggen kussens in een bruine, verschoten stof. Mijn hart begint te bonzen. Ik moet hier weg.

Kun trekt me naast zich op de bank. Hij houdt nog altijd mijn hand vast. De zijne is warm, een beetje zweterig. Ik ben me er onaangenaam van bewust. Van zijn hand en de warme geur van een bed, met misschien opengeslagen lakens. Hij moet het niet in zijn hoofd halen iets te proberen. Dan bijt ik hem en schop ik in zijn kruis.

'Ik ben blij je te zien', zegt hij.

Tussen zijn en mijn dij is maar de speling van een briesje. Het geringste zuchtje is genoeg om ons aan elkaar te kleven. In mijn hoofd tuimelen de verhalen door elkaar, gefluisterd of hoog van de toren geblazen. Van meisjes op school die erover opgeven dat ze in het weekend een jongen hebben binnengedaan. Dat kan alles betekenen tussen tongen en vingeren. Ze pochen tegen elkaar op dat ze het lekker vinden. En wie het knapste stuk aan de haak geslagen heeft, en soms het stuk van een ander. Dan schieten de blikken en de woorden over en weer als pijlen met venijn aan de punten en meer dan één keer wordt er aan haren en kleren getrokken. 'Het spel is om de jongens zot te maken', verkondigt Mei-Lan. In de klas wordt zij de expert geacht. Er zijn te weinig vrouwen voor te veel mannen. Het is dom om te snel toe te happen. De tijden zijn aan het veranderen.

Ik heb moeite om te slikken. Bij elke ademhaling verschuift de tijd een heel klein beetje, tergend langzaam. Ik staar naar mijn hand, die als een dode vis in de zijne ligt.

'Wil je niet weten wat er is gebeurd?' vraagt hij.

❋❋❋

Ik heb de hele weg naar huis gerend, op het laatst met mijn hand in mijn zij. Net zo snel schiet ik in mijn werkkleren. Ik neem zelfs niet de tijd om iets te eten. Verhit en nog nahijgend kom ik bij het rijstveld aan. Mijn vader kijkt op en probeert mijn blik te vangen, maar ik zit al gehurkt en begin te planten. Laat hem maar denken dat ik de verloren tijd wil inhalen. Gelukkig staat hij ver genoeg om niet te zien dat mijn handen trillen.

We werken stug door tot zonsondergang. Het is nieuwemaan en het donker valt snel. Ik zie amper papa's silhouet, maar aan het water dat om zijn enkels klotst, hoor ik waar hij bezig is. De gedachte aan een moeras vol verdriet overvalt me, zuigt aan mijn voeten. Als we naar huis lopen, haak ik mijn arm in de zijne. Ik wil dat ik weer negen ben en Tao drie. Zo meteen, als we binnenkomen, zal hij komen aandribbelen en papa zal hem optillen en in de lucht gooien en weer in zijn armen vangen. Tao zal kraaien van plezier en mama en ik zullen naar elkaar glimlachen als twee trotse moedertjes. Er is nog niets gebeurd. Tao is springlevend, mama vrolijk en Kun heeft me nog niet gekust.

Hij vond een stuk van een nest in hun tuin, en ook veren en wat plukken rossig kattenhaar. Er lag ook een jong te piepen, met spartelende pootjes. Of de kat had het niet gezien of ze had schielijk moeten vluchten, ofwel was het jong later naar beneden gevallen. Het kon nog niet vliegen. In elk geval, zonder ouders had het geen schijn van kans.

Kun klom met het jong in de boom. Het was niet eenvoudig. Hij wist niet zeker of de tak zijn gewicht zou dragen. Bovendien pikte de moedervogel voortdurend naar zijn handen. Uiteindelijk lukte het hem toch om het nest te herstellen en het jong er weer in te zetten, maar toen pikte ze naar zijn ogen en in een onverhoedse beweging om zich te beschermen, viel hij, met zijn hoofd tegen een zware tak.

Ik wist niet wat ik ervan moest geloven. In de klas had hij de naam een koele kikker te zijn, meedogenloos zelfs. Waren niet alle verraders meedogenloos? Hij wist dat ik twijfelde.

‘Kom, dan laat ik het je zien’, zei hij.

Hij trok me mee bij mijn hand, die hij nog altijd in de zijne had, alsof hij wist dat ik anders weg zou lopen. In de tuin wees hij naar het nest, maar dat bewees niets. Daarna wees hij naar de tak waar hij tegenaan was geslagen. Er was wat schors af en je zag een donkere vlek die heel goed bloed kon zijn.

‘Ik was bang dat de ouders niets meer van het jong zouden willen weten omdat ik het had aangeraakt’, zei hij. ‘Maar ik denk dat het in orde is. Kijk! Daar komt de vader met eten in zijn bek.’

Ik keek niet naar de vogel. Ik keek naar zijn gezicht, waar de hardheid af was gepeld als de schaal van een noot. Hij kreeg in de gaten dat ik keek. Een paar tellen lang was er tussen zijn en mijn ogen een dun stroompje elektriciteit. We zaten erin gevangen, zoals noord en zuid in een kompas. Naast zijn mondhoek trilde een spiertje. Ik kon zijn blik niet langer verdragen en sloot mijn ogen, meer in een soort van gelatenheid dan als uitnodiging. De kus kwam. Hij duwde zijn lippen op de mijne. Omdat ik achteruit wankelde, nam hij mijn gezicht tussen zijn handen. Hij kuste me opnieuw en toen mijn lippen een klein beetje uit elkaar weken omdat ik moest ademen, duwde hij zijn tong naar binnen. Ik deed niets. Ik voelde ook niets. Het was niet prettig, maar ook niet onaangenaam. Het was alleen maar vreemd, zoals we zelf ook waren.

1986

Voor de buitenwereld zijn Kun en ik een stel, voor mezelf is dat niet zo duidelijk. Ik ben niet verliefd op hem zoals hij op mij, al kussen we soms en lopen we hand in hand. Voor mij voelt het meer alsof we een blinde en een gebrekkige zijn die het lot bij elkaar heeft gebracht, omdat we alleen samen vooruit kunnen in het leven. Het klinkt misschien triest, maar zeker niet verbitterd. Er is respect en dankbaarheid tussen ons en een vanzelfsprekende trouw, waar de anderen met hun vriendjes-voor-één-nacht stiekem jaloers op zijn, al passen ze wel op om dat te laten merken. Ze lopen ons met een stijve nek voorbij. Zonder twijfel lachen ze ons uit en vinden ze ons eng.

Kuns ouders zijn stille, afstandelijke mensen. Ik voel me nooit helemaal op mijn gemak bij hen, alsof het sleutelgat in de kast met de papieren het alziende oog van een cycloop is, die op de loer ligt om me in een enkele hap op te slokken. Ze praten nooit over politiek. Ze stellen me ook geen vragen. Ik ga er maar van uit dat Kun hen gezegd heeft dat ik niet praat. Als ze dat in de loop der jaren al niet van de dorpstamtam hebben gehoord. Hijzelf heeft me nooit gevraagd of ik niet kan of niet wil praten. Mijn kale schedel lijkt hij maar amper meer te zien.

De eerste keer dat hij bij mij thuis kwam, was ik zo nerveus als een luis. Ik kon niet stilzitten. Mijn vader stuurde me naar de keuken om thee te zetten, zodat ze onder vier ogen konden praten. Ik weet dat papa me liever met iemand anders had gezien, maar beter één vogel in de hand dan tien in de lucht, zal hij wel denken. De kandidaten staan niet bepaald voor de deur aan te schuiven. Over het gesprek zelf wilde hij niet veel kwijt. Kun leek hem een ernstige kerel, voor zover hij eerlijk was, tenminste. En Kun vond dat ik bofte met mijn vader. 'Hij gaat voor je door een vuur, Huan. Als ik je één haar krenk, niet dat ik dat van plan ben, vermoordt hij me met zijn eigen handen.' De politiek hadden ze handig omzeild.

Aan mijn moeder gaat het allemaal voorbij. Ze scharrelt rond bij de kippen, die bang voor haar zijn. Ze wil ze voortdurend pakken. Haar woordenschat krimpt elke week een beetje meer, zodat op den duur thuis alleen nog mijn vader spreekt. Op een avond vraagt hij me wanneer Kun nog eens meekomt. Hij mist iemand om mee te praten. Met mama spreekt hij met zijn handen. Als de hare niet verstrooid zijn en naar hem luisteren, is hij gelukkig. Hij overleeft op steeds minder, op een noodrantsoen hoop.

❖❖❖

In het voorjaar zijn, op een kleine week tijd, eerst oma en dan opa gestorven. Mijn grootvader ongetwijfeld van verdriet. Ze ademden met dezelfde long. Mijn vader is naar hun dorp gegaan om de begrafenis te regelen. Ik was graag met hem meegegaan. De voorbije jaren zag ik mijn grootouders niet meer, ik hoorde ze alleen nog af en toe aan de telefoon, maar ook dat steeds minder. Oma kon niet meer lopen en opa werd steeds dover. Papa moest schreeuwen in de hoorn. Ik kon niet mee. Ik moest thuisblijven om voor mama te zorgen. Papa durfde haar niet mee te nemen, we hebben het haar ook niet verteld. Ze vraagt niet meer naar haar ouders. Mijn moeder zit opgesloten in haar eigen wereld, zoals een fossiel in een stukje barnsteen. Volgende maand wordt ze veertig, maar ze ziet er het dubbele uit.

Intussen is het alweer volop zomer. De rijstplanten zijn hoog opgeschoten, zeker anderhalve meter en op de beste terrassen zelfs twee meter hoog. De stengels beginnen te vergelen en de toppen door te hangen. We moeten snel beginnen met de oogst voor ze breken. Met de voorbereidingen zijn we zogoed als rond. Het water is terras per terras afgevoerd, de eerste muurtjes zijn afgebroken, de stenen zorgvuldig opgestapeld voor volgend jaar. Het is moordend heet. De modder stinkt onder de verzengende zon. De korrels rijpen zienderogen. Gelukkig is het vakantie en hoef ik niet naar school. We werken van zonsopgang tot zonsondergang, alleen op het heetst van de middag gaan we een paar uur slapen. Er moet ook gewassen worden, gepoetst, gekookt. Af en toe brengt Kun een pot soep mee, die zijn moeder zogezegd te veel heeft klaargemaakt. Eerder stond hij er al met een stuk of wat vissen, van de terrassen die ze hadden laten leeglopen. Mijn vader wilde ze niet aannemen, maar van trots blijf je niet op je benen staan, dus deed ik het in zijn plaats. Een ogenblik was ik bang dat hij me weer bij mijn oorlel zou trekken, waar het kleine litteken nog steeds aan mijn ongehoorzaamheid herinnert, maar hij boog zijn hoofd, zoals een paard voor de halster. Ik gebaarde naar Kun dat hij zijn moeder van ons moest bedanken. Ik denk dat ze in mij een goede schoondochter ziet. Een die hard werkt en niet tegenspreekt, en op de bruidsschat kan straks allicht afgepingeld worden. Ik hoef niet mooi te zijn, zolang ik maar vruchtbaar ben. Ik draag het ei met de zo begeerde kleinzoon. Misschien mag ze me ook gewoon graag. De rest van het dorp wil zo min mogelijk met hen te maken hebben.

Vandaag beginnen we te oogsten, aar per aar met de sikkel die papa op de steen geslepen heeft. Het is vrouwenwerk, maar nood breekt wet. De aren worden in bossen bijeengebonden en opgeslagen. En nu maar hopen dat het niet te veel regent, zodat ze goed kunnen drogen en we over enkele weken kunnen dorsen. Met de hand kost dat hopen tijd. In ons dorp heeft nog niemand een machine, zelfs Kuns vader, de burgemeester, niet. Kwaadsprekers zeggen dat het niet past voor een radicale communist, maar dat is verleden tijd. Zelfs Deng ziet in rijk worden een nobel doel, meer nog, onlangs noemde hij het een burgerlijke plicht. Het moet de economie aanzwengelen, die onder Mao gekelderd is.

Mijn vader vindt Deng Xiaoping een liangmian, een man met twee gezichten. Koopwaar en geld moeten vrij kunnen bewegen, maar gedachten en woorden zet hij gevangen in de mal van de Partij of achter tralies. Soms ontsnapt hem een uitspraak en dan schrikt hij. Het moet tussen hem en mij blijven. Zeker Kun mag het nooit ter ore komen. Het is trouwens beter dat niemand het weet. Elk huis kan oren hebben en spreken met een gespleten tong.

***

In september, bij het begin van het nieuwe schooljaar, barst er een bom tussen Feng en Mei-Lan. Mei-Lan heeft sinds kort een vaste vriend, een jongen uit de hoogste klas, en Feng ziet ze niet meer staan. Die is laaiend. Ze is niet meer het kneusje van vroeger. Even hoop ik dat ze bij mij komt uithuilen, of uitrazen, en dat we weer vriendinnen kunnen worden. Ik schrijf haar een lief briefje, maar daar antwoordt ze niet op. Er zijn genoeg meisjes die haar willen troosten. Al was het maar om Mei-Lan, die het altijd het beste weet en altijd het beste moet hebben en vooral altijd de beste moet zijn, een hak te zetten. Ik begrijp niet dat ik vroeger nooit gezien heb hoe ze is, maar wie zag dat wel? Je maakte plezier met haar en dan zag je veel door de vingers, maar de laatste tijd jaagt ze door haar hooghartigheid iedereen tegen zich in het harnas. Ze doet of het haar niet raakt en of ze genoeg heeft aan haar vriend. Als ze niet met hem loopt te pronken, pronkt ze wel met zijn ring. Er zit een kanjer van een steen in. Onder de meisjes wordt daarop geschimpt, het zal wel geslepen glas zijn en blik in plaats van zilver, maar zelfs een blinde kan zien dat hij hun de ogen uitsteekt en wie een vriend heeft, zit op zijn huid.

Kun en ik zitten op onze vaste bank in een verloren hoek van de speelplaats. Wij storen niemand en niemand stoort ons. Het enige nadeel is dat je er in de volle wind zit en vandaag waait het alsof ze in de hemel alle deuren en vensters tegen elkaar hebben opengezet. Sinds vanochtend zijn er wolken komen opzetten. Ze staan bol van regen; lang zal het niet meer duren. Gelukkig is de rijst binnen en droog. We moeten hem alleen nog in zakken scheppen en wachten tot papa van iemand een ossenspan kan huren om ze naar de markt te brengen en te verkopen. Kun speelt met mijn vingers. Het is een taal waarin ik wel kan praten en die minder omslachtig is dan schrijven. Ik glimlach naar hem. Hij is de enige, behalve papa en mama, bij wie ik me volledig op mijn gemak voel. Zijn vraag, met een knikje van zijn kin in de richting van Mei-Lan en haar vriend, die tegen de muur van de toiletten staan te kussen, komt als een klap in mijn gezicht.

'Wat denk je, Huan? Zal ik ook een ring voor je kopen?'

Schielijk trek ik mijn hand terug. Het bloed trekt weg uit mijn hoofd en even wordt het zelfs zwart voor mijn ogen. Ontdaan kijkt hij me aan, met zijn noot-zonder-schaal-gezicht dat alleen ik mag zien en dat knopen in mijn keel legt. Hij begint te stamelen.

'Ik ... ik dacht dat je blij zou zijn! Welk meisje wil nu geen ring van haar jongen?'

Ik sla mijn handen tegen mijn oren. Binnen in mij gilt het. Stop! Hou toch op! Ik bén geen meisje, noem me niet zo, alsjeblieft, ik ben de oude dag van mijn ouders! Hoe heb ik dat één moment kunnen vergeten? Ik kan mezelf wel slaan.

Ten prooi aan verwarring, verdriet, schaamte verberg ik mijn gezicht in mijn handen. Hoe kan ik hem duidelijk maken dat ik hem niet met opzet iets voorgelogen heb? Dat mijn pijn net zo groot is als die van hem, groter zelfs. Hij zal trouwen op een dag, een gezin stichten, zijn bloed en zijn naam verder laten leven. Hij verliest alleen mij. Hij streelt over mijn handen, die ik nog steeds voor mijn gezicht houd.

'Het spijt me als ik je liet schrikken, Huan. Ik wil je niet opjagen, we hebben tijd.'

Hij begrijpt het nog altijd niet. Ik begrijp het zelf amper, hoe het zover kon komen. Het moet zijn dat ik in mijn eigen lieve leugen leefde. Ik was ik en tegelijk was ik een verhaal, een sprookje, rijstboer en prinses, twee helften die los van elkaar een eigen toekomst hadden. Of beter, geen toekomst maar een zich eindeloos herhalend heden waarin we niet ouder worden en ik geen keuze hoef te maken die van de stippellijn tussen mijn twee levens een breuklijn zou maken. En nù heeft zijn vraag me weer tot die ene ondeelbare waarheid veroordeeld, aan elkaar gesmeed met een lelijke, pijnlijke naad. Hij verschuift zijn hand naar mijn arm.

'Gaat het, Huan?'

Hij verdient het dat ik hem aankijk. Hij ziet zo bleek als sneeuw. Met een schok besef ik dat ik van hem houd, niet alleen in het verhaal maar echt, met een lichaam, met mijn vlees en bloed en botten, met borsten en tepels die hard worden en met een schoot vol droefheid en verlangen zoals een rijstveld dat door de regens blank is gezet maar nooit aren zal dragen. Een steek gaat door mijn hart en mijn ogen vullen zich met tranen. Toen Tao stierf, stopte mijn leven als meisje, op dit uur gaat de vrouw in me dood. Ik huiver, mijn huid is in de rouw, maar als Kun me wil omhelzen, deins ik terug. Het zou wreed zijn onszelf nog langer hoop te geven en op zijn vergiffenis heb ik geen recht. Hij moet het weten voor de bel gaat en we terug naar de klas moeten.

Ik dwing mezelf op te staan, al twijfel ik of mijn benen me zullen dragen, en buig me naar hem toe. Dan neem ik zijn gezicht tussen mijn handen, prent me elk lijntje in, hoe zijn lippen kusten, zijn kleine, rechte neus, de hazelnoten van zijn ogen, en druk de oprechtste kus die ik hem ooit gaf op zijn voorhoofd. In een afscheid sta je naakt, een voorbode van het uur van je dood, waar de waarheid van alle leugen is ontdaan. Mijn lieve, lieve Kun. Ja, ik lach, ik lach door mijn tranen heen en dat moet jij ook doen. Verlies is niets anders dan het goede dat herinnering wordt. Ik heb liefgehad en jij had mij lief, en zolang we dat koesteren sterft de liefde niet. De wegen van onze lichamen moeten scheiden, maar de wegen van onze zielen gaan verder tot in de eeuwigheid.

Zo wil ik het geloven om niet verbitterd te worden. Ik ben niet geboren om te haten.

Kun kijkt gekweld en ik moet me hard maken om me om te draaien en voor altijd van hem weg te lopen, mijn karma tegemoet, terwijl de huid van mijn rug nog aan zijn handen plakt. Hij smeekt niet, hij doet niets om me tegen te houden. En als de bel gaat, loopt hij de andere richting uit, door de poort naar buiten, de muil van de wereld in.

Kun is niet meer terug naar school gekomen. Via via hoor ik dat hij halsoverkop naar Beijing vertrokken is. Zijn ouders zijn woedend op me en een paar weken lang leven papa en ik in angst dat ze de politie op ons af zullen sturen, op zoek naar iets waardoor ze ons de gevangenis in kunnen gooien.

Ik mis Kun. Soms denk ik erover hoe ik via een omweg aan zijn nieuwe adres zou kunnen komen, maar ik doe het niet. Ik zou schrijven om mijn geweten te sussen. Wat hem zou kunnen troosten, kan ik niet geven. Niet omdat ik niet wil. Ik ben niet meer van mezelf. Voor het eerst in lange tijd wikkel ik me die avond weer in de lappendeken, maar slapen kan ik niet.

Mijn vader mag nooit te weten komen waarom het tussen Kun en mij fout is gelopen. Hij zou me naar hem terugsturen, zoals hij me bij mijn oor trok en terug naar school stuurde. Al moest hij me naar hem dragen.

Hij zou het verkeerd zien. Ik offer mijn leven niet op, ik geef alleen terug wat ik nooit had mogen krijgen. Ik ben ook niet verdrietig omdat ik voor hen gekozen heb. Ik ben verdrietig voor Kun. Ik heb hem in de steek gelaten zoals ik dat met Tao heb gedaan. Mijn hart kan op twee plaatsen zijn, maar mijn lichaam niet.

❖❖❖

En dan lijkt het alsof er op het einde van dat vreselijke jaar toch nog iets goeds gebeurt. Op een middag, als ik thuiskom van school, zit mijn vader aan de tv gekluisterd. Hij wenkt me en wijst naar het scherm.

'Het is zover, Huan.'

Tranen verstikken zijn stem. Ik ga naast hem zitten.

In Beijing is onder de studenten oproer uitgebroken. Ze demonstreren massaal tegen het regime. Het Tiananmenplein is volgelopen, helaas ook met politie, die probeert de rellen de kop in te drukken.

'Partijleider Hu Yaobing steunt de studenten in hun eis voor democratische hervormingen en distantieert zich hiermee van Deng en de Partijoudsten', zegt de nieuwslezer. 'Hij brengt het land op de rand van oorlog.'

Er loopt een huivering over mijn rug, al staat de kachel achter me roodgloeiend. Mijn moeder heeft het altijd koud. Ze zou op de kachel gaan zitten als ze kon, gewikkeld in twee dekens.

'Het zou al een paar dagen aan de gang zijn', zegt mijn vader. 'Maar dit zijn de eerste officiële beelden. Ze zullen niet meer anders kunnen. Er gebeurt te veel en dat lekt toch uit. De politie kan niet elke camera in beslag nemen of kapotstampen.'

In onze rug begint een kip luidkeels te kakelen. Mijn moeder heeft ze uit de tuin mee naar binnen gebracht. Ze zit ermee op haar schoot en praat ertegen met het stemmetje waarmee je tegen baby's praat. 'Je hebt het koud, hè kleintje. Het is nu niet goed in de tuin. Je vriest er dood. Blijf maar lekker hier, lekker bij mij.'

Mijn vader gaat niet meer tegen haar in. Als hij het waagt, wordt ze hysterisch, dan raakt ze weer buiten zinnen. 'Pak mijn kleintje niet af, pak mijn kleintje niet af!'

Wee van schuld en medelijden wend ik mijn ogen af, terug naar het scherm, waarvan ik elke centimeter uitkam op zoek naar Kun, maar het zou gemakkelijker zijn om een zwarte speldenknop in een mierennest te vinden. Intussen pakt mijn vader, zonder van het scherm weg te kijken, een fles rijstwijn en twee glazen.

'Hier moeten we op drinken, Huan. Er komen andere tijden. God bescherme Hu, dat het hem niet zijn kop kost. Ik vertrouw Deng voor geen haar.'

Hij heft zijn glas en ik tik er verstrooid tegen met het mijne. Ik dacht even dat ik Kun zag lopen, maar meer waarschijnlijk is het een goocheltruc van mijn hoofd, dat hoopt én vreest om hem te zien. Ik wil het niet weten als hij aan de verkeerde kant staat.

'Heb je nog iets van hem gehoord?' vraagt mijn vader. Mijn schrikreactie, hoe kort ook, is hem niet ontgaan.

Ik schud het hoofd. Zijn ouders hebben zich begraven achter de dichtgeschoven gordijnen. Door mij zijn ook zij hun kind kwijt. Ik wil niets liever dan iedereen graag zien en toch breng ik alleen ongeluk.

'Je hebt me nooit verteld wat er tussen jullie is gebeurd', zegt mijn vader. 'Hadden jullie ruzie? Over politiek?'

We hebben geen ruzie gemaakt, papa.

Hij zucht, bedenkt dan dat hij me misschien beter kan troosten en plooit zijn gezicht in een bezorgde glimlach.

'Misschien maar goed dat het zo gelopen is, moet je maar denken, anders zouden jullie nu tegenover elkaar staan. Je had hem beter nooit vertrouwd.'

Dat is niet eerlijk, papa. De soldaat die Tao achterna wilde duiken stond ook aan de verkeerde kant, maar hij was wel de enige die ons wilde helpen. Kun heeft voor zover ik weet nooit een vlieg kwaad gedaan. Hij heeft het vogeljong teruggezet in het nest. En toen iedereen op school zich van me afkeerde, is hij naast me komen zitten, terwijl ik hem al de jaren ervoor evengoed als de anderen links had laten liggen.

Ik houd mijn gedachten voor mezelf. De doden moet je laten rusten en de levenden worden er niet gelukkiger van, maar papa's woorden beamen wil ik evenmin. Ik sta op en pak een derde glas. We zijn mama vergeten. Met een bodempje rijstwijn zal ze het warmer krijgen.

1987

De opstanden zijn in de kiem gesmoord en Hu is, tegelijk met andere progressieve leden, uit de Partij gezet. Binnen onze vier muren reageert mijn vader ontgoocheld, daarbuiten verzegelt hij zijn lippen, zelfs tegenover buurman, die zijn haat tegen Deng niet onder stoelen of banken steekt. Zijn zoon Dingbang, die uiteindelijk toch met Nua is getrouwd, spreekt opruiende taal in zijn café, tot grote ontsteltenis van zijn moeder. Zij vreest een razzia, en wat zal er dan met haar kleinkind gebeuren? Het meisje is zes maanden oud. Dingbang houdt zijn mond voor niemand, ook niet voor de burgemeester, die elke zaterdagavond van zes tot zeven aan zijn vaste tafeltje in de hoek zijn borrel komt drinken. Hij zit daar te roken, alleen, houdt alles in de gaten van achter zijn blauwe wolk en verder doet hij er het zwijgen toe. Dingbang durft hem te jennen, maar zelfs dan laat Kuns vader niet in zijn kaarten kijken. Iedereen is het erover eens dat hij zijn tijd afwacht, zoals een gier.

Op school werd het oproer zogoed als doodgezwegen. Nu Kun er niet langer is als het gezicht van de vijand, wordt politiek voor de meesten weer een ver-van-mijn-bedshow. Er zijn andere dingen om van wakker te liggen, en dat zijn ook niet de examens. De meisjes hebben hun hoofd al vol trouwjurken en baby's, de jongens vol snelle auto's, liefst een cabrio zodat iedereen hen goed kan zien. We zitten in ons voorlaatste jaar. Ik heb me erbij neergelegd dat papa wil dat ik mijn diploma haal, maar naar de universiteit ga ik niet. Geen denken aan. Hij heeft gespaard als een vrek. 'Het geld is er, Huan. Daar hoef je je geen zorgen over te maken.'

Niet over het geld, papa, ik maak me zorgen over mijn thuis. Ik ben liever gelukkig met jullie dan met een dokterstitel, want daar zou ik in andere omstandigheden wel voor kiezen. Mensenlevens redden. Mijn antwoord op de dood. Dat is dus niet aan de orde. Het is zelfs geen kwestie van kiezen, maar van pure logica, een eenvoudige rekensom. Ook zonder mij zijn er genoeg andere dokters waar mensen bij terechtkunnen, maar jullie kunnen maar bij één kind terecht, bij mij.

We hebben Nieuwjaar gevierd, stil en sober. Anderen moesten maar genoeg vuurwerk afsteken om Nian terug naar zijn slaapplaats op de zeebodem te verjagen. Wat hielp het trouwens? Net zo weinig als op Yan Yat rauwe vis en op je echte verjaardag lange slierten noedels en perziken eten voor een lang leven. Ik legde de messen en de scharen weg en we smeerden Tsao Chun wijn en honing om de mond. Ik deed het uit traditie en nostalgie, en voor papa, die zich blijft vastklampen aan elke strohalm hoop. En nu is het Qingming geweest. Mijn vader is naar het dorp van mama's ouders afgereisd om bij hun graf te offeren en nepgeld te verbranden. Ik heb hetzelfde gedaan voor zijn ouders en voor Tao. Aan mijn moeder gaat het allemaal voorbij. Ze wijdt haar dagen aan de kippen. Soms weet ze zelfs niet wie papa en ik zijn. Hem noemt ze 'meneer' en mij 'juffrouw' en als we snoepgoed van de markt voor haar meebrengen, betaalt ze ons met kiezelsteentjes.

Gisteren zijn papa en ik begonnen met de rijst uit te planten. Het is al enkele dagen abnormaal heet. Mijn strohoed plakt tegen mijn schedel. Ik prijs mezelf gelukkig dat ik geen haar heb. Echt, ik ben beter af zo. Zoals gewoonlijk werken we tot zonsondergang. Vandaag is het papa's beurt om te koken. Tegen dinsdag heb ik altijd veel werk voor school, maar eerst verheug ik me op een bad en moet ik met een zakmes mijn nagels schoonmaken. Er is modder onder de randen gekropen. Dat is geen vrouwelijke ijdelheid, maar elementaire hygiëne.

Ik loop naast mijn vader. Als vanzelf vinden onze voetstappen een gelijke tred. Er loopt een rilling over mijn rug. Nu de zon is ondergegaan, koelt het toch nog snel af, zeker als je zo bezweet bent. Ik mag niet ziek worden, er is te veel werk.

'Er brandt nog geen licht thuis', zegt mijn vader. 'Mama zal toch niet in het donker bij de kippen zitten?'

We versnellen onze pas. Zodra hij het hek heeft opengeduwd, begint hij haar te roepen. Er komt geen antwoord.

'Xia! Xia?'

In huis is ze niet. Terwijl hij als een gek de trap opstormt om boven de kamers te doorzoeken, loop ik naar de tuin. Daar is ze evenmin. Dan stokt mijn adem. Het poortje van het kippenhok staat open. Ik hol weer naar binnen om mijn vader te halen, grijp in het voorbijgaan de zaklamp uit de lade. Buiten rukt papa ze uit mijn handen.

Hij schijnt in elke hoek. Hij schijnt zelfs omhoog in de bomen. Geen mama. Ook geen kippen.

We kijken elkaar aan. In het schijnsel van de lamp is zijn gezicht asgrauw.

'We moeten haar zoeken. Ga jij die kant op, Huan. Hier, neem de lantaarn. Ik vraag er een aan buurman.'

Het nieuws verspreidt zich als vuur. Xia is verdwenen. Steeds meer mensen zoeken mee. Het lijkt weer lantaarnfeest, als je niet beter wist. Haar naam rolt als een echo van noord naar zuid, van oost naar west. Ze is nergens te zien. Alleen twee van de drie kippen worden teruggevonden. Ze hebben zich vast getrappeld in de modder tussen de jonge rijstplantjes. Het is alsof mijn moeder door de aarde verzwolgen is.

Na een week is ze nog altijd vermist. We hebben geen hoop meer haar levend terug te vinden, al is haar lichaam niet in de rivier komen bovendrijven, noch ergens aangespoeld. De derde kip hebben we wel gevonden, niet ver van huis. Ze is verdronken in het rijstveld van Mulans ouders, nadat ze eerst een ravage aan de jonge plantjes had aangericht. Mijn vader betaalt de schade. De twee andere kippen zitten weer in hun ren, maar zijn door hun hachelijke avontuur zo van streek dat ze gestopt zijn met eieren te leggen.

***

's Avonds, als mijn vader het tv-toestel heeft uitgezet en we aan weerskanten van de dunne houten muur in de doodse stilte liggen te wachten op de slaap, hoor ik hun zielen fluisteren. Jouw schuld jouw jouw jouw schuld schuld jouw jouw ... Ik probeer mezelf te kalmeren. Het is de wind, Huan, alleen de wind. Ik weet wel beter. Het zijn mama en Tao die geen rust vinden. Als ik uiteindelijk toch in slaap sukkel, droom ik van hun blauwig opgezwollen gezichten die me van vlak onder het wateroppervlak met wijd open ogen aanstaren. Andere keren steken ze dunne, bleke armen naar me uit. Ik schrik wakker met een geluidloze schreeuw die pijn doet aan mijn keel, badend in het zweet.

Ik weet dat mijn vader ook niet slaapt. Ik hoor hem door de kamer ijsberen, alsof hij nog altijd naar mijn moeder op zoek is.

Op een middag, als ik van school kom, zie ik zijn strohoed niet boven het veld uitsteken. Paniek overrompelt me, mijn hart klopt tot in mijn keel. Toch loop ik sneller dan ooit. Ik kan huilen als ik hem ongedeerd aan de keukentafel zie zitten. Hij heeft een jurk van mama in zijn armen, alsof hij haar lijk draagt, zoals hij dat van Tao heeft gedragen. Een lege huid, waaruit haar lach en haar ziel zijn weggevlogen. Eigenlijk waren ze dat al veel langer, ook toen ze nog bij ons was, maar toen was er nog de dwaze hoop dat ze op een dag weer de oude zou worden. Als papa me hoort, kijkt hij op en glimlacht.

'We moeten een man voor je zoeken, Huan. Je moet me een kleinkind geven', zegt hij.

Ik hap naar adem. De grond onder mijn voeten verdwijnt en ik moet me vasthouden aan de tafelrand. Mijn vader begrijpt het verkeerd.

'We zullen wel iemand vinden die het niet erg vindt dat je niet praat, Huan. Je bent lief en zorgzaam en je werkt als de beste.'

Ik wil schreeuwen. Zoals ik wilde schreeuwen toen we mama zochten. Ineens was ik banger dat ze me niet zouden horen dan dat ze niet zouden luisteren. Ik kon het niet meer. Ook nu komt er geen klank uit mijn keel.

'Je moet me dan wel beloven dat je je haar niet meer afscheert. En maak je een beetje mooi, zoals je vriendinnen', blijft papa maar praten.

Vriendinnen? En jou achterlaten als ik trouw? De enige die ik nog heb?

Vanuit mijn ooghoek valt mijn blik op zijn zakmes, dat op tafel ligt. Ik weet niet wat me bezielt. Ik pak het, knip het open en houd het met de snede tegen mijn gezicht.

Doe het niet, papa. Vraag het nooit meer opnieuw.

Hij krimpt in elkaar. Alle kleur is uit zijn gezicht weggetrokken.

'Je lijkt Tao wel', zegt hij. 'Even koppig. Het zal dan toch waar zijn dat honden niet alleen trouw en plichtsbewust, maar ook gemeen kunnen zijn.'

Alleen als ze in het nauw gedreven worden, papa. Alleen dan.

1988

Op de dag dat mijn moeder een jaar vermist is, maakt mijn vader een groot vuur in de tuin, waarop hij al haar kleren verbrandt. Als de as koud is, schept hij ze in een aardewerken pot, die hij op het huisaltaar zet bij gebrek aan een graf. Hij slacht ook de twee kippen en breekt het hok af.

'We moeten aan de toekomst denken', zegt hij.

Hij heeft niet meer over trouwen en een kleinkind durven spreken, maar nu mijn laatste schooljaar ten einde loopt, is hij opnieuw op zijn oude stokpaardje van de universiteit gesprongen. Op een avond laat hij me de blikkendoos met het geld zien dat hij heeft gespaard.

'Je ziet het, Huan, er is genoeg. En je hebt schitterende cijfers. Het zou een misdaad zijn om je talent te verspillen. Ik heb zaterdag je lerares op de markt gezien. Ze is het helemaal met me eens. "Als iemand het kan, is het Huan", zei ze. Je zou het eerste meisje uit ons dorp zijn, stel je voor! Ik zou zo trots op je zijn. Mijn dochter een dokter!'

Ik schud het hoofd. Er kan geen sprake van zijn. Als hij toch zijn zin doordrijft, zorg ik dat ik zak voor het toelatingsexamen. Wat zou hij hier beginnen zonder mij? Wat zou ik beginnen zonder hem? Ik heb mijn droom begraven, zoals hij en ik de hoop hebben begraven dat mama nog leeft. 's Nachts huil ik, met een hoek van de lappendeken tegen mijn mond zodat hij het niet hoort.

In de laatste week van mei krijg ik een brief. Hij ligt in het midden van de tafel als ik van school kom. Ik heb nooit eerder post gehad en zou niet weten wie me iets te schrijven heeft. Mijn vader is minstens zo nerveus als ik.

'Maak je hem niet open? Hij is van Kun. Het staat op de achterkant. Uit Beijing.'

Van Kun? Mijn hart springt op. Mijn handen trillen. Ik krijg de envelop maar met moeite opengescheurd.

'Wat schrijft hij?'

Om te lezen heb ik me met mijn rug naar mijn vader gekeerd. Ik weet niet waar ik bang voor ben. De lettertekens dansen voor mijn ogen.

Lieve Huan,

Ik hoop dat alles goed gaat met jou en met je ouders. Ga je nog altijd naar school? Of ben je toch getrouwd intussen? Misschien heb je al wel een kind?

Ik was heel verdrietig toen we uit elkaar gingen. Elke keer dat ik je naam dacht, sneed hij door mijn hart. Boos was ik niet. Ik begreep je en ondanks alles hield ik van je. Dat doe ik nog steeds, maar anders. Als een grote broer. Ik hoop dat ik dat mag schrijven zonder dat het je kwetst.

Intussen heb ik een nieuwe liefde gevonden. Ze heet Lian en ze is precies zoals haar naam het zegt: sierlijk als een wilg. In augustus trouwen we.

Ik besef dat het een verre reis is en waarschijnlijk onmogelijk, maar het zou mijn geluk compleet maken als jij die dag bij ons kon zijn. Als je dat wilt, schrijf ik aan mijn ouders en vraag ik of je samen met hen kunt reizen. Ze hebben je vergeven.

Hopelijk tot in Beijing.

Je vriend voor het leven,

Kun

PS Lieve groet van Lian, die ik zoveel over je verteld heb dat ze nu al van je houdt.

Mijn gezicht is nat van de tranen.

'Wat is er, Huan? Toch geen slecht nieuws?'

Ik draai me naar mijn vader om en geef hem de brief, terwijl ik glimlach door mijn tranen heen.

Nee, papa. Het is het mooiste nieuws dat ik kon krijgen. Een heel klein stukje van mijn schuld is van mijn schouders gevallen.

'Natuurlijk ga je', zegt hij. 'En aan Kuns ouders vragen we niets. We gaan samen. Jij en ik. Wat kijk je nu? Geloof je me niet? Als we vroeg kunnen oogsten en het weer meezit zodat de rijst goed droogt, kan het gemakkelijk. We hebben nog nooit vakantie gehad. Pieker nu maar niet, ik zorg voor alles. Het enige waar jij je op moet concentreren zijn de examens. Hoe ver sta je trouwens?'

Het duurt even voor de betekenis van zijn woorden tot me doordringt, dan vlieg ik hem om de hals. Mijn vader, die dat niet meer van me gewoon is sinds ik geen klein meisje meer ben, is er een beetje door onthutst. Hij voelt ongelovig aan zijn wangen, waarop ik hem een klinkende kus heb gegeven.

Ik ga op reis! Ik ben nooit verder dan het dorp van mijn grootouders geweest. En nog wel naar Beijing! Ik kan niet wachten om Kun terug te zien. Het lezen van Lians naam mag dan even een steek in mijn hart gegeven hebben, ik ben echt blij voor hem. Echt wel. Ik zal hem meteen een brief terugsturen met het goede nieuws. En dan aan de studieboeken. Papa heeft gelijk. De eindexamens zullen er snel zijn, en daarna oogsten en dorsen. Het zal augustus zijn voor ik er erg in heb.

Eindelijk heeft vrolijkheid de weg naar ons huis teruggevonden. Papa loopt weer fluitend rond en op een dag komt hij thuis met een reisgids van Beijing. Hij duwt hem onder mijn neus zonder zelfs eerst zijn sandalen bij de deur uit te trekken.

'Moet je kijken, Huan! Is het geen fantastische stad?'

Ik moet lachen. Dat zegt hij, die elke avond zijn rijstveld afstapt, met zijn handen gevouwen op zijn rug, als een herenboer met een paar slordige tientallen hectaren grond. Die de lucht afspeurt op zoek naar kraanvogels en citroengras fijnwrijft tussen zijn handen en bijna zwijmelt bij de geur. 'Dat is nu vrijheid, Huan. En als je ze kunt delen met wie je na staan, heet het geluk.' Behalve boer is mijn vader ook af en toe filosoof.

Ik vind het heerlijk dat hij zo opgetogen is en buig me tegelijk met hem over het boek.

'We kunnen wel wat langer blijven dan alleen voor het huwelijk', zegt hij. 'Toch?'

Natuurlijk, papa. Hotels genoeg, zie maar eens! Luxueus en peperduur. Geen spek voor onze bek.

Nu is hij het die het hoofd schudt en lacht.

'Nee, nee, meisje. Ik zei je toch dat ik voor alles zou zorgen! Kun regelt logies.'

Ik frons. Kun? Plots wordt mijn vader nerveus. Hij struikelt over zijn woorden.

'Ja, kijk. Het zit zo. Ik heb hem opgebeld. Hij heeft beloofd een paar dingetjes te regelen. Breek daar dus je mooie hoofdje niet over. Het enige wat jij moet doen is slagen voor je examens. Dat gaat toch lukken? Je weet het toch zeker?'

Het lukt toch altijd, papa? Slaap op je twee oren, maar wat een heisa voor een diploma! Het is maar een vel papier. Om rijst te zaaien en bami te koken heb ik het niet nodig, daarvoor volstaan mijn handen en een dosis gezond verstand.

Ik glimlach, maar ik ben bang dat hij er dwars doorheen zal kijken. Ik kan nog zo doen of het me koud laat, maar dat is maar schijn. Ik zal apetrots zijn op mijn diploma en de lessen zal ik verschrikkelijk missen. Er is nog zoveel te ontdekken en te leren. Zelfs Beijing is maar een speldenprik op de wereldkaart. Ik moet dankbaar zijn. Niet vergeten wie ik maar ben. Ik heb al meer gekregen dan ik verdiende.

'Weet je wat,' zegt mijn vader, 'we vertrekken goed op tijd, dan kun je in de stad een mooie jurk uitkiezen voor de bruiloft. Je krijgt hem van mij. Voor je diploma en ... ik ben zo gelukkig dat ik jou nog heb, Huan.'

Hij draait zich met een ruk om en kruipt weg achter het schild van zijn rug. Ik pak hem beter niet vast nu, maar het kost me moeite. In elk geval bevestigt het dat ik de juiste keuze heb gemaakt. Alleen, mijn haar laten groeien zoals hij vraagt, kan ik niet. En ik kies wel een broek of iets gemakkelijks voor op het rijstveld. Slapende dromen kun je maar beter niet wakker maken.

Naarmate de dagen vorderen groeit mijn gevoel dat iets niet helemaal klopt. Mijn vader doet vreemd. Hij is soms uren van huis en nooit wil hij zeggen waar hij geweest is. Hij telefoneert vaker dan anders en breekt het gesprek af zodra ik binnenkom. 's Avonds, als ik naar bed ben gegaan, is hij nog lang met papierwerk bezig en als ik 's ochtends opsta, is alles opgeruimd. Hij voert iets in zijn schild, maar hij ontwijkt mijn vragende blik en zelfs mijn briefjes. *Scheelt er iets? Toch geen problemen?* Hij haast zich me gerust te stellen, maar ik geloof hem niet.

'Maar nee, liefje, heus. Zie ik er dan uit alsof ik problemen heb? Ik bereid alleen ons vertrek voor. Ik belde maar even met Kun om iets te checken. Alles is onder controle.'

Hij belt wel heel vaak met Kun. En altijd achter mijn rug, maar als ik blijf fronsen, herhaalt hij stug dat het gewoon perfect moet zijn en dat de toekomst er in jaren niet zo mooi heeft uitgezien.

'Je gaat zo blij zijn, Huan. Het wordt de verrassing van je leven.'

Hij glundert en ik leg me erbij neer dat ik verder niets mag weten. Ik kan er beter van genieten dat hij zo vrolijk is. Ik hoop alleen dat hij Kun niet te veel opeist, zo vlak voor de trouw. En dat Lian niet jaloers wordt.

En plots wordt alles duidelijk. Het is op de dag dat ik mijn diploma krijg. Mijn lerares pakt mijn twee handen in de hare. Ze blijft die maar schudden, terwijl ze nog eens zegt hoe fier ze op me is. Zij en de directrice en de hele school.

'Maak je geen zorgen, Huan. Dat toelatingsexamen loopt ook als een trein. Je bent er klaar voor.' Ik verstijf en ze laat mijn hand los om de hare voor haar mond te slaan. 'Heeft je vader je nog niets gezegd? Het spijt me als ik de verrassing heb bedorven, Huan. Je gaat naar de universiteit. Hij is zo ontzettend trots op je. Je hebt het getroffen met je vader!'

Ik kan alleen knikken en een glimlach uit mijn mond persen. Een verrassing? Een achterbakse streek vind ik het. Ik bries naar huis. Daar smijt ik mijn diploma voor hem op tafel. Ik heb me nog net kunnen inhouden om het niet aan stukken te scheuren. Hij slaakt een zucht.

'Je weet het. Waarom mag ik je niet gelukkig maken, Huan?'

Draai de vraag nu niet om, papa! Ik wil bij jou zijn. Wil jij dat dan niet? We hebben alleen elkaar nog.

Waarom luistert hij niet? Mijn woede slaat om in verdriet. Ik zak voor hem op mijn knieën en sla mijn armen om zijn benen, snik geluidloos. Met zijn eeltige vingers streelt hij over mijn hoofd.

'Het zal best meevallen, Huan. Je zult zien. Kun heeft een appartementje gevonden, niet ver van waar hij en Lian gaan wonen, en in de buurt van de universiteit. Wist je dat hij daar werkt? Op de drukkerij. En Lian werkt in de keuken van een ziekenhuis. Vlakbij is een park, waar ik als tuinman kan beginnen.'

Met een ruk til ik mijn hoofd op.

Jij? Ga jij dan mee, papa?

'Wat had je anders gedacht, Huan? Als jij niet bij me weg wilt, ga ik toch mee met jou.'

Ik schud hevig van nee. Het wordt steeds erger. Dat offer mag ik niet van hem vragen. Alles hier achterlaten?

'Jij bent nu alles voor me', lijkt hij mijn gedachten te lezen. 'Ik heb mijn leven gehad.'

Zeg dat niet, papa. Je bent pas drieënveertig.

'En het is ook niet het einde. Tuinman zijn in een park lijkt me niet het ergste.'

En de graven van mama en Tao dan? Van opa en oma?

'Elk jaar met Qingming komen we terug. En als je dat wilt, kun je later hier in het dorp je praktijk hebben. Hier zijn ook dokters nodig.'

Maar ...

Hij legt zijn vinger op mijn voorhoofd en glimlacht.

'Ik wil geen woord van protest meer horen. Eind juli vertrekken we. En nu is er taart om je diploma te vieren, maar laat me het eerst eens goed bekijken.'

De rijst is geoogst en gedorst. Eergisteren heeft mijn vader hem op de vrachtwagen van buurman geladen en in de stad verkocht. Het was vreemd om te beseffen dat het de laatste keer was. Ik zag dat papa weemoedig werd, al deed hij zijn uiterste best dat voor me te verbergen.

We kunnen nog altijd terug, schreef ik op een briefje, *we hoeven niet te vertrekken*.

Hij glimlachte, maar die glimlach was net zo koppig als een tank. Zijn besluit was onwrikbaar.

Het meeste is gepakt. Morgenochtend komt er een verhuiswagen uit Beijing. Ik hoef niet te vragen wie dat geregeld heeft. Als je papa hoort, is het al Kun wat de klok slaat. Ineens lijkt het er niet meer toe te doen dat hij een communist is. Ik vraag me af of ik afscheid van zijn ouders moet nemen. Over enkele weken zie ik hen op de bruiloft. Voor het overige hebben papa en ik onze ronde gedaan. Buurman en zijn vrouw. Dingbang en Nua waren er met de kleine Li, die een parmante, babbelende peuter geworden is, het evenbeeld van haar vader. Mijn lerares van het voorbije jaar en mevrouw Wei van de lagere school. Een handvol andere mensen. Vriendinnen heb ik niet meer en toen mama ziek werd, en later toen ze vermist was, heeft ook papa zich meer en meer teruggetrokken. Morgen komt de nieuwe huurder de sleutel halen. Het is een jong koppel. Ik ken hen niet.

Er valt niets meer te doen. Ik kook onze laatste avondmaaltijd. Loempia's met zwarte bonen, uien, kool en champignons. Papa ontkurkt een fles rijstwijn.

'Dit is geen droevige avond, Huan. Ons leven reist met ons mee, en niet alleen in die verhuiskisten. Ons hart is de schatkamer.'

We wassen af en ik dek de tafel voor morgenochtend. Daarna lopen we nog een allerlaatste keer over het rijstveld. Nu het droog ligt, stinkt de modder. Papa raapt een beetje op en wrijft het tussen zijn handen, daarna snuift hij de geur op. Ik heb wat rijstkorrels voor hem in een zakdoek genaaid, maar die geef ik morgen pas. Hij kan het buideltje met een touwtje om zijn hals dragen. Ik kijk omhoog. Er staan sterren, de maan is bijna vol. De hemel wolkeloos. Het is zo stil, een deken van vrede ligt over de aarde. Zoals de lappendeken die ik boven op mijn kleren heb gelegd. We hebben er de urne met de as van mama's kleren in gewikkeld. Daar zit ze veilig.

Als vanzelf vinden onze voeten de weg naar het graf van papa's ouders. Naar dat van Tao. Ik hurk en trek een pluk onkruid uit. Naast hem heeft papa een steen gelegd over een leeg graf. Mijn moeder woont hier niet met haar lichaam, maar we hopen dat haar ziel er rust gevonden heeft en als een goede geest over ons zal waken. We branden een wierookstaafje, waarvan de zoete geur de lucht kruidt. Papa is naast me gehurkt, zijn hand ligt op mijn schouder. Ergens vlakbij sjirpt een krekel. Krekels brengen geluk.

* * *

Het belooft een lange, vermoeiende reis te worden, met zijn drieën op een kluitje in de cabine. Het eerste halfuur wisselen mijn vader en de chauffeur enkele beleefdheidsvragen uit, daarna valt het gesprek stil en zet de chauffeur de radio loeihard. Die gaat niet meer uit tot hij de verhuiswagen, bij het invallen van de schemering, voor een oud, mistroostig motel parkeert. Hijzelf zal in de cabine slapen, maar eerst moet er gegeten worden. Hij nodigt zichzelf uit.

We zijn dooreengeschud door de bulten en kuilen in de weg, en de stank van zijn sigaretten die in zijn mondhoek bungelden, walmt uit onze kleren. Morgen wil hij om stipt zes uur weer vertrekken. Mijn vader is er niet helemaal gerust op. Hij zegt het niet, maar ik ken zijn blik. Als de chauffeur er vannacht vandoor gaat, zijn we alles kwijt. Waarom zou hij? Dan loopt hij zijn loon mis en voor iemand anders zijn onze spullen niet meer waard dan een appel en een ei. Gerustgesteld door die gedachte val ik, na een douche en een karige rijstmaaltijd met kippenblokjes en zoetzuur, onverwacht snel in slaap.

De baas van het motel wekt ons om halfzes. Hij heeft thee en een kom zhou klaarstaan. De chauffeur zit al te ontbijten en verwacht opnieuw dat wij ook voor hem betalen. Ik zie mijn vader schrikken van de prijs. Dit is afzetterij, maar hij klemt zijn tanden op elkaar en zwijgt.

We moeten nog bijna de hele dag rijden. De wegen liggen er slecht bij en tot overmaat van ramp regent het fel en onafgebroken. De ruitenwissers kunnen het water niet slikken. De chauffeur vloekt. Hij plakt bijna met zijn voorhoofd tegen de ruit. Tweemaal moeten we aan de kant gaan staan en wachten tot hij weer een hand voor ogen ziet. En al die tijd dreunen de radio en de motor in mijn hoofd. Pas in de late middag, als we Beijing naderen, worden de wegen breder en beter, maar omdat ook het verkeer alsmaar drukker wordt, is dat nauwelijks een verbetering. Eenmaal in de stad wordt het zelfs stapvoets rijden. Het pluspunt is dat het eindelijk gestopt is met regenen en dat ik op mijn gemak om me heen kan kijken. Sommige gebouwen herken ik uit de reisgids en van tv, maar in het echt is alles nog duizend keer indrukwekkender. De chaos is vreselijk. Hoe kun je hier ademen? De voetgangers lopen lijf aan lijf en de fietsers wriemelen door elkaar als termieten. Het licht springt op groen. De chauffeur duwt ongeduldig op de claxon. Hij is vier dagen onderweg geweest. Op het dashboard plakt een fotolijstje van waaruit zijn vrouw en een jongetje naar hem glimlachen. Eindelijk stopt hij in een wijk met allemaal dezelfde woonblokken. Ze zien er grijs en troosteloos uit.

'Hier is het', zegt mijn vader, die een strookje papier uit zijn broekzak heeft gepakt. 'Honderdvierentwintig. Zevende verdieping.'

Juist als de moed me in de schoenen begint te zinken, komt een man uit het huizenblok naar buiten, met een brede glimlach op zijn gezicht en wijd gespreide armen. Hij is nauwelijks veranderd, wat breder geworden in de schouders, zijn haar wat langer. De vrouw in zijn kielzog moet Lian zijn. Zij lacht ook en stroopt haar mouwen op. Ze zijn gekomen om te helpen.

Kun en Lian zijn schatten. Het appartement is kraaknet en op de vensterbank staat een fleurig bosje bloemen. De chauffeur heeft haast, dus halen we eerst de vrachtwagen leeg en brengen alles naar boven. De thee en de cake die Lian zelf gebakken heeft, moeten wachten tot daarna. We drinken uit kartonnen bekertjes en toosten op de vriendschap. Dat ik geen haar heb en niet praat maakt Lian niet uit, zij babbelt wel voor twee. Als er daarna weer gewerkt wordt, zijn haar handen net zo rad als haar tong. In een wip staan de meubels weer in elkaar. Mijn vader vindt het welletjes voor vandaag, morgen is er nog een dag. Als hij iedereen wil meenemen naar een eethuisje in de buurt, heeft Lian nog een verrassing in petto. De gastvrijheid kan niet op. We worden bij haar ouders verwacht. De vrienden van hun toekomstige schoonzoon zijn ook hun vrienden. Als papa en ik in de late avonduren terugkomen en ik hem mijn arm aanbied omdat hij iets te veel rijstwijn op heeft en hij bijna giechelig vrolijk is, lijkt de straat iets minder vreugdeloos en niet meer zo aartslelijk. Misschien valt het allemaal wel mee.

De volgende dag pakken we verder uit. Veel hebben we niet, dus we zijn snel klaar. Het bosje bloemen zetten we op het huisaltaar, bij de urne van mama en de foto's van haar, van Tao, van de oma's en opa's. Daarna gaan we, gewapend met een plattegrond van de stad, op verkenning. Ik moet er opnieuw aan wennen dat de mensen me aanstaren, maar het is wat het is, en mijn ogen neerslaan doe ik niet. We kopen mondmaskers tegen de smog en in een klein warenhuis slaan we proviand in. Terug thuis maak ik een snelle bamihap klaar. Daarna kijken we nog heel even tv. We zijn allebei afgepeigerd, toch trek ik zonder aarzelen mijn sandalen aan als papa voorstelt voor het slapengaan nog een blokje om te lopen. 'Net zoals thuis om het rijstveld', zegt hij. Heimwee grijpt me bij de keel. Ik wil hem er niet mee lastigvallen. Ik slik en slik. Sterren zijn er niet te zien. Ze zijn verbleekt in de lucht die een vuile oranje gloed heeft van de straatverlichting. Papa zoekt mijn hand en geeft er een kneepje in.

'Wacht maar tot morgen', zegt hij. 'Tot je het park hebt gezien.'

Mijn vader heeft zijn eerste week als tuinman erop zitten en ik heb me ingeschreven voor het toegangsexamen. Ik had attesten van de huisarts en van school, dat ik niet kan spreken maar dat verder alles met me in orde is. De vrouw aan de balie keek vreemd op, ze kon haar ogen ook amper van mijn kale hoofd houden, maar daarna schreef ze toch mijn naam op de lijst. Als ze tegen me sprak, riep ze alsof ik ook doof was.

Dat was dinsdag. Intussen vreet ik mezelf op van de spanning. Ik moet slagen of onze verhuizing is een vruchteloze inspanning geweest, een regelrechte catastrofe. Dat papa ongelukkig is met zijn nieuwe werk doet daar nog een schep bovenop. Hij probeert het voor me te verbergen, maar hij verraadt zich door wat hij niet zegt. Het werk op zich valt best mee, maar hij is niet langer zijn eigen baas. Ineens moet hij zich schikken naar de nukken van een chef, die het meer te doen is om die nieuweling te testen en zijn plaats te wijzen dan om goed werk af te leveren. Sommige collega's doen niet voor hem onder. De plaats van papa is op de onderste tree van de ladder, nog onder de jongens die recht van school of van hun moeders schoot komen. Tot hiertoe heeft hij een stuk van zijn tong kunnen bijten, maar het moet niet te gortig worden. Bovendien zit hij wel in het groen, maar daarmee is ook alles gezegd. Er is geen verte, geen horizon, waar land en hemel in elkaar overvloeien in een oneindigheid waarin alle zorgen vervagen. En de lucht is zo slecht dat ze hem, zelfs met een mondmasker op, bij momenten de adem beneemt.

Kun heb ik sinds de dag van onze aankomst niet meer gezien. Ik begrijp het, hij en Lian hebben al meer gedaan dan ze moesten en de bruiloft nadert snel, maar ik voel me doodeenzaam. In het dorp kon ik daar beter tegen dan hier. Straks komt hij. Hij kent een man die fietsen oplapt en tegen een zacht prijsje verkoopt. Zonder fiets kom je in Beijing nergens. Kun heeft ook papa proberen te overhalen, maar die zweert bij de benenwagen. 'Ik ben te oud geworden om dat nog te leren.' Het zal wel! De oudste opa, met een baard tot aan zijn knieën, rijdt met de fiets.

Als het aan mij lag, koos ik gewoon de goedkoopste fiets, maar die zet Kun resoluut weer aan de kant. 'Dat is rommel, Huan, daar doe je geen half jaar mee en bovendien is hij twee keer te duur.' Hij pakt een paar andere en onderwerpt ze aan een grondig onderzoek: de remmen, de banden, het licht, zelfs de overschilderde roestvlekjes. Voor hij een definitieve keuze maakt, rijdt hij er een paar rondjes mee. Deze, het is beslist. Er moet alleen een betere bel op. En een slot en een pomp. Voor dezelfde prijs. De verkoper sputtert tegen, maar draait snel bij als hij de verkoop bijna aan zijn neus voorbij ziet gaan. Achter zijn rug geeft Kun me een knipoog en terwijl ik het geld uittel, laadt hij de fiets in het bestelbusje dat hij met enkele vrienden deelt. Daarna rijden we de stad uit, op zoek naar rustige zandwegen om te oefenen. Het blijkt toch niet zo eenvoudig als ik dacht. Elke keer dat ik een beetje met mijn hoofd draai, draait het stuur mee en beland ik achtereenvolgens in een berm met brandnetels, een gracht die gelukkig droog is en tegen een boom. Daarna heb ik min of meer de slag te pakken en is het verder een kwestie van oefenen. Kun zegt dat ik in het stuur knijp alsof het de hoorns van een buffel zijn die ik moet temmen.

Nu liggen we op onze rug naast elkaar in het gras, dat naar zomer en naar thuis ruikt. Naar vroeger. Elk moment kan ik de stem van Tao aan mijn oor horen. *Huan, wat wil je liever zijn? Een boom of een vogel? Een sprinkhaan of een waterjuffer? De zon of ... Ik wil niet iets anders zijn, Tao. Maar alleen maar even alsof, Huan. Gewoon om te voelen. Denk je dat het gras kan voelen? En de wind? De wind vast wel. Hoor maar, Huan, vandaag is hij vrolijk. Hij huppelt in de blaadjes.* Ik glimlach. Tao's mond huppelde ook. Hij zag nog blauw van de kersen, de dood had hem nog niet gekust. Onder mijn gesloten oogleden flakkeren oranje vlekjes van de zon. Een bij gonst om mijn hoofd, maar ik ben te loom om ze weg te slaan. Net als ik denk dat de tijd eeuwig mag stilstaan, overvalt Kun me met zijn vraag.

'Denk jij nog altijd dat ik spioneer voor de Partij, Huan?'

Op slag breekt het zweet me uit. Hij keert zich op zijn zij, op zijn elleboog, en kijkt naar me. Zijn blik is dwingend, ik kan niet anders dan mijn ogen naar hem opslaan.

'Ja, dus. Misschien denk je zelfs dat ik je op dit eigenste ogenblik in de val wil lokken.'

Ik verdraag zijn blik niet en ga rechtop zitten. Mijn mond is kurkdroog.

'Ik neem het je niet kwalijk, Huan. Iedereen in het dorp dacht het. Mijn ouders deden het erom. Zelfs mij hebben ze jaren in de waan gelaten. Als ik niets wist, zou ik ook mijn mond niet voorbij kunnen praten. Maar het was eenzaam, iedereen meed me.'

Zelfs ik, in het begin. Dat zegt hij niet, ík denk het. Ik haatte het dat hij naast me kwam zitten. Zelfs nu aarzel ik om zijn hand vast te pakken en te laten zien dat ik hem vertrouw. Hij lijkt me wel eerlijk en ik zou niet liever willen, maar ik heb het wantrouwen met de moedermelk en de taal van mijn vader meegekregen. Ik wacht en hij gaat verder.

'Mijn ouders zijn lid van een geheim netwerk dat mensen helpt het land uit te komen. Ze proberen ook een nieuwsbrug te regelen tussen politieke gevangenen en hun familie, maar daarvoor moeten ze het vertrouwen winnen van de bewakers. Het is gevaarlijk werk. Als ze ontmaskerd worden ... Herinner je je die neef van Feng? Mijn vader heeft ervoor gezorgd dat hij brieven van thuis kreeg, maar de stommeling had ze niet goed verstopt en even waren we als de dood dat hij papa zou verklikken. We konden hem daarna ook niet meer helpen, ze hielden hem in het oog. Geloof je me?'

Ik weet het niet. Je bent een goed mens, Kun. Dat zou ik graag zeggen. *De beste vriend die ik ooit had. Jij liet me niet vallen zoals Mei-Lan en Feng.* Ik glimlach naar hem, voorzichtig zoals een kind achter de rok van zijn moeder.

'Het rommelt onder de studenten, Huan. Ze protesteren door muurbrieven tegen de gevels te plakken. Ze eisen persvrijheid en democratische hervormingen en willen dat er een einde komt aan de corruptie. Die muurbrieven worden in de universiteit gedrukt. Bij ons. Ik laat de studenten 's nachts binnen en bedien de machines. Als je me niet gelooft, kom dan kijken. Elke donderdagavond vanaf elf uur. Het wachtwoord is "dageraad". Zo, nu weet je het. Ik heb jou vertrouwd. Misschien ben jij een spion, dan heb ik mijn ouders en mijn vrienden aan je uitgeleverd, maar ik gok dat je aan onze kant staat.'

Ik twijfel niet langer. Misschien bega ik een vergissing, maar als het moet, vergis ik me liever zo dan hem nog eens onrecht aan te doen als hij wel de waarheid spreekt. Ik pak zijn vingers en breng ze naar mijn lippen. *Je geheim is veilig, Kun.* Hiermee beschouwt hij ons gesprek als ten einde. Hij springt overeind en zet mijn fiets in het bestelbusje. Ik volg, nog steeds wat in de war. Onderweg naar huis praat hij nog alleen over de bruiloft.

Mijn vader hoeft hier niets van te weten. Helemaal lekker voel ik me daar niet bij. Ik wil niet tegen hem liegen, maar nog minder wil ik hem ongerust maken. Bovendien ben ik er voor mezelf nog niet uit of ik straks wel bij die protestacties betrokken wil raken. Het is gevaarlijk. Ik leef niet met mijn ogen en oren in mijn zak. En zijn we niet naar Beijing gekomen, hebben we niet alles achtergelaten, opdat ik dokter zou worden? Geen opgesloten of vermoorde dissidente? Aan de andere kant, als iedereen zo denkt, blijft Deng eeuwig aan de touwtjes trekken en iedereen die hem tegenspreekt monddood maken. Het is niet omdat ik niet wil praten dat ik geen mening heb, geen stem. Uiteindelijk is het de gedachte aan die hatelijke legerofficier, de dag dat Tao stierf, die me de knoop doet doorhakken. Als hij de engel-soldaat meteen had laten duiken, had mijn broer misschien nog geleefd. In zekere zin is ook Tao een slachtoffer van de macht. Ik wil hem wreken.

Toch zoek ik elke week een excuus om niet naar de donderdagbijeenkomst in de drukkerij te gaan. Eerst het toelatingsexamen. En de bruiloft. Ik wil ook mijn weg in de stad kennen, en plekken om te kunnen schuilen als het moet, en ik wil weten wie mijn medestudenten zijn voor ik beslis of ik me al dan niet met hen wil inlaten. Noodzakelijker dan wat ook is dat ik een baantje vind. Het leven is hier schrikbarend duur. Met papa's loon alleen redden we het niet.

* * *

Ik kan in een McDonald's beginnen, als afwasser. Dat ik niet praat, ziet mijn baas veeleer als een plus- dan als een minpunt. Ik zal mijn tijd tenminste niet verdoen met kletsen. Mijn collega's vinden het minder leuk om met mij samen te staan en de meisjes proberen me in het begin zelfs buiten te pesten. Ik krijg een déjà vu en ben blij dat ik mijn muurtje niet helemaal heb afgebroken. We zijn met zijn vijven, vier meisjes en één jongen, maar we werken steeds per twee. Van de meisjes ben ik de enige die nog studeert. Dat maakt hun afkeer nog groter. Ze zijn achterdochtig of ik niet verwaand zal doen of zal proberen Dong in te palmen. Ze zijn zo dom te denken dat ze een kans maken bij hem, alleen omdat hij met hen flirt. Ondanks alles heb ik medelijden met hen. Achter hun rug lacht Dong hen vierkant uit. Hij noemt hen leeghoofdige kippen die over onnozele dingen kakelen. Dong studeert rechten en hij heeft een vaste vriendin, die ook rechten studeert, maar hij is niet vies van een scharrel links en rechts. Als hij op een dag ook mij probeert te versieren en een blauwtje loopt, haalt dat de duivel in hem naar boven.

'Je bent nog tien keer stommer dan die meiden, jij! Offer ik me op om je een beetje aandacht te geven ... Maar als je liever een oude vrijster wordt? Wie anders zal je zien staan? Of val je op vrouwen? Dat zal het zijn! Je bent een vieze pot!'

Ik laat hem praten en doe mijn werk. Ik kletter alleen wat harder dan anders met mijn pannen. Ik zou hem nog niet willen als hij de laatste man op de wereld was. Die avond in de badkamer kijk ik lang in de spiegel. Ik heb de lippenstift die ik ooit van papa kreeg, uit de kast gepakt en doe hem op. Dan kijk ik opnieuw. Mijn mond springt als een papaver uit het kale veld van mijn gezicht. Ik zie hoe mijn ogen zich vullen met tranen en ben woest op mezelf. Ik boen mijn mond schoon en gooi de lippenstift in de vuilnismand, maar even snel vis ik hem er weer uit. Het is alsof ik papa zelf weggooi, zijn liefde. En wat ik had kunnen zijn, niet maar even alsof. Ik leg de lippenstift op zijn plaats in de kast en 's nachts kruip ik weer onder de lappendeken, al is de zomer in de stad onbarmhartig heet.

Aan het einde van de week krijg ik mijn eerste loon. Trots schuif ik het over de tafel naar mijn vader toe, die niet-begrijpend van mij naar het geld kijkt. Ik glimlach, argeloos.

'Waar heb je dat vandaan?' klinkt het argwanend, niet dankbaar. Niet dat dat hoeft. 'Ben je gaan werken? Daar zat je dus al die uren! En ik maar hopen dat je je amuseerde, dat je misschien eindelijk weer vriendinnen had. Heb je dan zo weinig vertrouwen in me? Denk je dat ik niet voor je kan zorgen? Ben ik dan tot nu toe geen goede vader geweest?'

Elk verwijt komt aan als een slag in mijn gezicht, een klappenregen waaronder ik me voel duizelen. *Nee, papa! Zo is het niet! Zo is het helemaal niet. Je bent de allerbeste papa van de wereld. Ik wilde alleen helpen! Ik zou niet willen dat je je doodwerkt voor mij …*

Ik pak zijn hand tussen de mijne, maar hij rukt zich los. Zonder nog iets te zeggen, graait hij naar zijn sleutels en stampt hij het appartement uit. Pas laat in de nacht komt hij terug. Ik heb liggen wachten, luisteren, huilen. Ontelbare gedachten zijn door mijn hoofd geschoten. Hij heeft gedronken. Ik hoor het aan het gestommel en de volgende ochtend ruik ik het aan zijn adem. Hij zit aan tafel met zijn hoofd tussen zijn handen. Ik probeer het opnieuw, met een klein, bang hartje. Pak zijn hand. *Toe, papa. Alsjeblieft!* Hij kijkt me aan met bloeddoorlopen ogen. Hij heeft ook gehuild.

'Ik wil niet dat je gaat werken, Huan. Je zult al je tijd en energie nodig hebben om te studeren.'

Maar thuis werkte ik toch ook op het land? Het ging toch best?

'Dit is niet meer het dorp. De universiteit is hard en de concurrentie groot. En jij zult je meer dan dubbel moeten bewijzen, liefje. Als meisje, en bovendien als iemand die niet praat. Vergeef me dat ik zo boos was. Ik was bezorgd. Als je echt graag wilt werken, leg ik me daar bij neer, maar alleen als je me belooft ermee te stoppen zodra het te zwaar wordt. Jouw toekomst is mijn leven, Huan. Alles wat me rest.'

Ik knik, *ik beloof het, papa,* en sta op om hem te omhelzen.

* * *

De nacht voor het toelatingsexamen doe ik nauwelijks een oog dicht. Omdat ze vaag gebleven zijn over de leerstof – algemene kennis – heb ik me niet zo goed kunnen voorbereiden als anders. Afgaande op mijn eindrapport had ik op mijn twee oren mogen slapen, maar misschien stelt onze dorpsschool wel helemaal niets voor in vergelijking met scholen uit de stad? Tegen de ochtend ben ik zo doorgedraaid als een speelgoedtol. Ontbijt krijg ik niet door mijn keel. Gelukkig is papa al naar zijn werk vertrokken, of hij zou zich weer hopeloos veel zorgen maken. De lieverd heeft twee gedroogde madeliefjes en een kaartje met wensen voor succes naast mijn bord gelegd. Straks zal ik ze tussen vloeitjes leggen en bewaren bij de lippenstift.

Het is een bewolkte ochtend, maar het zou niet gaan regenen, dus raap ik mijn moed bij elkaar en ga met de fiets. Ver is het niet en de weg ken ik, maar ik voel me nog altijd niet op mijn gemak in het verkeer. Ik zie anderen overal voorbij en tussen laveren. Gelukkig ben ik op tijd vertrokken en hoef ik me daar niet over op te jagen. Tot mijn opluchting en blije verbazing staat Kun me bij de poort van de universiteit op te wachten, terwijl hij toch zijn handen vol moet hebben aan de bruiloft van overmorgen. Hij kust me op beide wangen.

'Ik dacht, laat ik Huan maar even wegwijs maken', zegt hij met een brede, welgemeende glimlach. 'Het is hier een ongelooflijke doolhof.'

Hij loodst me mee naar de fietsenstalling en voorbij de drukkerij – 'En hier werk ik dus' – naar de aula, waar het examen afgenomen zal worden. Onderweg zorgt mijn kale schedel voor het nodige bekijks en gefluister, maar ik had niet anders verwacht. Kun geeft me een knipoog. 'Een paar weken, meid, dan let niemand er nog op.' Ik knipoog terug. Weet ik toch. De deur van de aula is nog dicht. In de gang staan meer mensen te wachten. Beetje bij beetje loopt hij vol. Sommige studenten kennen elkaar en staan te lachen en te praten of nerveus te fluisteren. Anderen, die alleen zijn, zien er verloren en onwennig uit. Er zijn veel meer jongens dan meisjes. Kun kijkt op zijn horloge, hij moet vertrekken. Het geeft niet. Ik glimlach dapper, ik red het wel.

'Ik duim, Huan. Spring je straks even de drukkerij binnen? Je weet nog waar het is? Maak je niet te druk, je bent slim. Lian duimt ook.'

Voor het oog van alle anderen geeft hij me nog een knuffel en aan het eind van de gang, voor hij de hoek omslaat, zwaait hij ook nog een keer. Nu kijken ze nog meer.

'Je boft maar', spreekt een meisje me aan. 'Is hij je vriend?'

Ze heeft een kort, bol kapsel, zoals veel meisjes uit de stad. Lian draagt het ook zo. Ze noemt het een bob.

Ik glimlach, knik ja en nee tegen het meisje, ze vraagt ook twee dingen tegelijk. Ze steekt haar hand naar me uit.

'Ik ben Shu.'

Ik schud haar de hand, daarna diep ik een pen op uit mijn tas en omdat ik niet zo gauw een stuk papier vind, schrijf ik mijn naam op mijn hand.

'Huan', leest ze hardop. 'Kun je niet praten?'

Nee.

'Ben je ziek? Ik bedoel, je hebt ook geen haar.'

Nee.

'Sorry als ik ...'

Het geeft niet.

Op dat ogenblik komt de prof eraan met de sleutel van de aula en probeert iedereen tegelijk door de deur naar binnen te drommen. Een mooie kans voor Shu om van me af te komen, denk ik, maar dat doet ze niet. Ze komt naast me zitten en na het examen stelt ze voor adressen uit te wisselen.

Ik denk dat ik het goed heb gedaan, maar echt gerust zal ik pas zijn als de brief met de uitslag in de bus gevallen is. Gelukkig is er het huwelijk van Kun en Lian om mijn gedachten af te leiden. Ik heb nog altijd niets nieuws om aan te trekken. Even speel ik met het idee om Shu te vragen of zij mee gaat shoppen, maar ik wil me niet opdringen en ik heb al zo lang geen vriendin meer gehad dat ik ook niet zou weten hoe ik me moet gedragen. Ik kan maar beter met papa gaan. Hij heeft trouwens ook een nieuw hemd en liefst ook een nieuwe broek en een das nodig. Hij sputtert tegen, in geen geval een das. Hij is tuinman. De mensen moeten hem maar nemen zoals hij is.

'Maar jij moet mooi zijn, Huan. Ik wil dat je straalt. Wie weet word jij wel de volgende bruid.'

Arme papa.

In de winkel krijgt hij de steun van de verkoopster, die een vette klant ruikt. Ze houdt me een smaragdgroene, glanzende jurk met lovertjes voor.

'Je hoeft hem niet te nemen, maar je kunt hem toch wel passen om te zien of hij je staat', herhaalt ze zijn woorden.

Natuurlijk staat hij me beeldig, ik ben niet blind, maar hij brandt ook op mijn huid. Ik trek hem weer uit en wijs op de broek en de tuniek die ik zelf uit het rek heb gehaald.

Dat is praktisch, papa. Ik kan het dragen om naar school te gaan.

'Je kunt toch nog iets anders proberen ...'

Nee, papa.

Hij laat zijn hoofd hangen.

'Mijn zoon is dood en waar is mijn dochter?' vraagt hij. 'Ik zie haar nergens meer.'

Hij heeft het zacht gezegd, zachter dan die eerste keer, jaren geleden, onhoorbaar voor de verkoopster. Mij snijden zijn woorden door het hart. Ze maken me ook boos. Stank voor dank krijg ik. Als het zo zit, hoef ik niets. Ik draai me om en maak aanstalten om de winkel uit te lopen, maar hij komt achter me aan en grijpt mijn arm.

'Het is goed, Huan. Alles is goed. Maar wees niet boos. Ik ben een oude man, ik leef van mijn laatste dromen.'

En dan scheelt het maar weinig of ik neem toch de groene jurk.

***

Het wordt een prachtig trouwfeest. Zelfs het weer en de natuur spannen samen om er een sprookje van te maken. Vandaag is er geen spoortje smog. De lucht is zo blauw als het oog in een pauwenstaart en de tuin waar de ceremonie plaatsheeft, baadt in muziek en zonlicht. Af en toe gooit een zwerm witte vogels glittertjes in de lucht. De heesters spatten van kleur en hun bitterzoete geur lokt de fraaiste vlinders. Het is alleen al dagen ongenadig heet. Papa zegt het ook. In het park moet 's ochtends en 's avonds gesproeid worden en dan nog lopen hij en zijn collega's zich krom onder extra gieters.

Ik puf in mijn lange broek en moet mezelf vermanen om niet jaloers te zijn op de andere vrouwen, in hun luchtige jurken en met waaiers en parasols. Vandaar is het maar één stap naar de afgrond van onmogelijke dromen. Het kost me meer moeite dan ik wil. Lian schittert in haar jurk van rode zijde en Kun lijkt in zijn deftige, zwarte pak ineens geen jongen meer, maar een man. Een erg knappe man, ondanks de zweetdruppeltjes op zijn voorhoofd. Een pijnscheut siddert door mijn lijf. Ik had daar naast hem onder het baldakijn kunnen staan. Dan had de priester zijn zegen over ons uitgesproken, en over het gezin dat we zouden stichten. We zouden meer dan één kind nemen en daar graag de prijs voor betalen, en dochters zouden net zo welkom zijn als zonen. Mijn vader tikt me aan met zijn elleboog.

'Moet je zien hoe gelukkig ze zijn, Huan. Maar jouw tijd komt ook. We vinden iemand voor je, een lieve, zorgzame man.'

Niemand moet voor me zorgen, papa. Bespaar me je medelijden, ik vind mezelf al zielig genoeg, maar ik wil hem niet ongelukkig maken en glimlach naar hem. Blij haakt hij zijn arm in de mijne. Het jaloerse gevoel ebt weg. Ik hoef geen man. Ik heb papa. Hij heeft voor mij gekozen toen hij me had kunnen verdrinken, en toen zijn zoon stierf door mijn schuld, heeft hij me niet uit zijn huis gegooid. Grotere trouw bestaat er niet. Dat bedenk ik, terwijl we in een lange rij aanschuiven om onze opwachting te maken bij het bruidspaar en hun ouders. Als ik Kun en Lian omhels, is het laatste zweempje schaduw uit mijn glimlach verdwenen. Ze mogen de bodem van mijn ogen zien. Papa en ik hebben een theepot van handgemaakt aardewerk gekocht. Lian zal ermee rondgaan telkens als ze vrienden ontvangen.

'Dan moet jij wel onze eerste gast zijn', zegt ze warm.

Kun kijkt haar vertederd aan, dan lacht hij naar me.

'Je hebt gehoord wat mijn vrouw zei, Huan.'

Ik wens ook haar ouders geluk, die ik nog ken van toen we daar die avond na de verhuizing gegeten hebben.

'De vrienden van onze dochter en schoonzoon zijn ook onze vrienden. Welkom in de familie, Huan.'

De ouders van Kun begroeten me koeltjes en stroef. Ik begrijp het niet. In zijn brief schreef hij toch dat ze me vergeven hadden? En hij is toch gelukkig? Hij heeft een mooie vrouw, die vriendelijk is en kan praten. Ze zouden me dankbaar moeten zijn. Mijn vader ziet het als ik ergens over dub, alsof hij onder mijn huid kan kijken.

'Kun heeft zijn school niet afgemaakt', zegt hij. 'Hij en niet jij had naar de universiteit moeten gaan. Maar daar heeft hij zelf voor gekozen, Huan. Zoals jij kiest om je kaal te scheren. Het is niet jouw schuld.'

Voor papa is het nooit mijn schuld. Hij heeft makkelijk praten. Ik voel ze toch. Ze knaagt aan mijn hart, zoals vroeger de ratten aan de dijken van het rijstveld.

Het avondfeest is in volle gang. Kun heeft me al twee keer gevraagd om te dansen. Ik heb ook met papa gedanst, maar als hij aandringt om met de rest mee te doen, die allemaal maar een beetje door elkaar staat te springen, mag hij op zijn hoofd gaan staan. Ik zit prima in mijn hoekje. Ik geniet wel van het kijken.

Ineens staat Kun opnieuw voor mijn neus. Deze keer is hij vergezeld van een erg lange en smalle jongen met een rond metalen brilletje en warrig haar, die hij voorstelt als Sheng-Du, Drakenvuur.

'Kun heeft over je verteld', zegt Sheng-Du. 'Ik denk dat we het prima met elkaar kunnen vinden. Zullen we dansen?'

Hij geeft me geen kans om tegen te stribbelen. Voor ik het goed en wel besef, pakt hij mijn hand en staan we al op de dansvloer. Zijn andere hand legt hij in mijn zij. Het zweet breekt me uit. Ik zal op zijn tenen trappen, stuntelen. Mijn hart klopt tot in mijn keel. En in plaats van me te helpen, zit papa vergenoegd met zijn hoofd te knikken. Sheng-Du geeft een kneepje in mijn hand.

'Laat het maar aan mij over, Huan. Je hoeft niets te doen, alleen volgen.'

Hij heeft gelijk. Na de eerste aarzelende stappen gaan mijn voeten precies daarheen waar hij ze hebben wil. Ik mag er alleen niet over nadenken, want dan loopt het toch fout.

'Het gaat prima, zie je wel! Ontspan alleen je schouders nog een beetje. Je hebt mooie schouders overigens, jammer dat je ze verstopt. Je zou een jurk moeten dragen met dunne bandjes.'

Als hij wil dat ik wegloop, moet hij zo verder gaan. Hij heeft geluk dat ik niet weg kan. Ik ben duizelig. Alles draait. Het gaat ook zo snel. Als hij me zo meteen loslaat als de muziek stopt, val ik beslist. Ik aarzel en we raken uit het ritme.

'Je moet naar een vast punt kijken, Huan. Dat helpt. Kijk maar naar mij.'

Naar het bovenste knoopje van zijn witte katoenen hemd dat openstaat. Naar zijn adamsappel, zijn kin. Naar zijn mond die lacht. Met zijn wijsvinger tilt hij mijn kin nog ietsje op, zodat ik wel in zijn ogen móét kijken. Ze blinken achter zijn brillenglazen.

'Dat is veel beter', zegt hij tevreden. 'Ik ben er zeker van dat we goed zullen kunnen samenwerken.'

Daar zegt hij het weer. Wat bedoelt hij toch? Ik voel me niet op mijn gemak en ben opgelucht als de muziek stopt, maar hij blijft me stevig vasthouden.

'Eén is geen, Huan. Of vind je me zo vervelend? Lach eens. Kun zegt dat je zo aardig bent.'

Kun, Kun. Kun hoeft niet over me te praten. En Sheng-Du hoeft me niet te versieren om hem een plezier te doen. Ik heb geen medelijden nodig. En of ik hem kan en wil helpen, zal ik zelf wel uitmaken. Ik ben niet te koop voor een paar keer dansen en wat mooie woorden. Als de muziek de volgende keer stopt, ga ik zitten. Zoveel is zeker. Sheng-Du denkt daar anders over en danst met me naar de andere kant.

'Zullen we buiten praten? Hier is het lawaaierig en warm.'

Met mijn hand nog steeds in de zijne baant hij zich een weg door de groepjes gasten. Bang ben ik niet. Kun vermoordt hem als hij een vinger naar me uitsteekt, maar het is dwaas om te denken dat hij dat zou willen. Hij is knap. Als hij al geen meisje heeft, kan hij er zo een krijgen, aan elke vinger één. Buiten waait een nachtelijk briesje. De lucht is diep blauwgroen, met felle blinkende sterren.

'We kunnen daar op dat muurtje zitten.'

Hier klinkt de muziek gedempt. In het gras, waar een zerpe geur uit opstijgt, sjirpen krekels. Het zou geluk brengen als je een krekel cadeau krijgt. Er zijn speciaal versierde doosjes voor. Het is leuk, maar geloof hecht ik er niet aan. Ik geloof ook niet meer in het zeemonster Nian en de keukengod Tsao Chun. Ik heb zijn portret niet meegenomen naar Beijing.

Sheng-Du zit naast me en zwijgt. Vanuit mijn ooghoek sla ik hem gade. Hij heeft zijn ogen gesloten en op zijn gezicht ligt een glimlach.

'Het is hier rustig', zegt hij na een tijd. 'Ik houd van stilte. Kun heeft me verteld dat je niet praat. Dat het zo is sinds het ongeluk met je broer. Ook dit.'

Hij strijkt met een vingertop over mijn schedel. Ik wil mijn hoofd wegtrekken, maar ik doe het niet.

'Denk je dat het jouw schuld was?'

Dat denk ik niet. Dat is zo.

'Je was pas twaalf. En kleine jongens kunnen echte etters zijn.'

Ik werp hem een giftige blik toe, maar daar stoort hij zich niet aan.

'Ik was een onuitstaanbaar joch. Mijn ouders verwenden me rot. Tot mijn geluk moesten ze, toen ik zeven was, in Beijing komen werken. Ik bleef achter bij een broer van mijn vader, die korte metten maakte met mijn grillen. Het was luisteren of van het rietje. Op mijn blote billen.'

Ongewild ontsnapt me toch een glimlach, maar ik denk niet dat het daarover is dat hij met me wil praten. Binnen klinkt gejoel, applaus. Ik kijk op mijn horloge. Het is middernacht.

'Ze zullen er met de bruidstaart zijn. Kun je je honger nog heel even uitstellen? Kun zegt dat je je hebt ingeschreven voor geneeskunde.'

Ik knik. Wat heeft hij nog allemaal verteld?

'Volgens hem heb je ook een vlotte pen en sta je aan onze kant. Je zou onze muurbrieven kunnen opstellen. We hebben ook een clandestien tijdschrift dat we onder de studenten en sympathiserende arbeiders verdelen. Ik weet dat hij je van onze donderdagnachtbijeenkomsten heeft verteld. We kunnen elke stem gebruiken. De onrust en de woede groeien. Het is een kwestie van maanden. Deng en zijn kliek moeten op hun knieën.' Hij wacht even voor hij verder gaat. 'Ik wil je niet onder druk zetten, Huan. Het kan gevaarlijk worden, maar wil je er toch over denken?'

Dat hoeft niet, ik heb al beslist, hij had zich die hele poppenkast kunnen besparen. Ik wacht alleen nog op de uitslag van mijn examen. Ik steek mijn hand naar hem uit en hij drukt ze, terwijl hij zegt hoe tevreden hij is. Dat is dan mooi. Ik maak me los, draai me om en loop, zonder op hem te wachten, weer naar binnen. Voor de taart op is. Als papa mijn blik onderschept, is hij zo wijs om geen vragen te stellen. Kort daarna wil ik naar huis.

⁂ ⁂ ⁂

Door het dolle heen van opwinding komt Shu bij me aan, terwijl ze met de brief van de universiteit boven haar hoofd wappert.

'Ik ben geslaagd, en jij?'

Voor ik tijd heb om te knikken, heeft ze me al een notitieboekje en een pen in de handen geduwd.

'We kunnen ook gebarentaal leren', zegt ze. 'Maar intussen ...'

Ik lach. Ik begrijp nog altijd niet waarom ze uitgerekend mij als vriendin uitgekozen heeft. Eén keer heb ik het haar op de man af gevraagd. Haar antwoord was kort. 'Waarom níét?'

'Zullen we de stad in trekken?' vraagt ze.

Ik moet over een uur gaan werken, maar we kunnen hier iets drinken. Ik heb ijsthee gemaakt.

'Super!'

Ze volgt me naar binnen en ik maak een gebaar van 'doe alsof je thuis bent'. Als ik met de glazen uit de keuken kom, staat ze voor het huisaltaar. Ze wijst naar de foto's van mama en Tao.

'Zijn ze dood?'

Ja.

'Je broertje?'

En mijn moeder.

Ik zet de glazen op tafel en zij zet de foto's behoedzaam weer op hun plaats.

'En je vader?'

Papa is oké. Hij werkt als tuinman in het park. Tot vorige maand hadden we ons eigen rijstveld.

Shu knikt. Ze begrijpt het plaatje. Plots staan haar ogen hard en zacht tegelijk.

'Mijn vader kan niet meer werken. Hij was dokter, maar de Partij heeft hem gebroken. In het geheim hielp hij zieke of gewonde dissidenten. Hij hielp hen onderduiken, er was een netwerk van adressen. Een goed jaar geleden kwam hij thuis. Ik was bij een vriendinnetje, puur toeval, of noem het geluk. De deur was geforceerd. In de keuken zat mijn moeder vastgebonden op een stoel en met een prop in haar mond. Er waren ook militairen. Twee soldaten en een officier. Ze hadden haar eerst gedwongen thee voor hen te zetten. De officier dronk brandewijn. De fles stond op tafel. Hij stond op toen mijn vader binnenkwam en duwde de loop van zijn pistool tegen de slaap van mijn moeder. "Je zegt me nu waar ze zich schuilhouden of je vrouw gaat eraan", zei hij. Mijn vader vond het vreselijk, maar hij gaf de namen. Een van de soldaten schreef ze op. Toen haalde de officier de trekker over. "Om er zeker van te zijn dat je het niet vergeet, als je zou willen herbeginnen", zei hij. "Je hebt nog een dochter."

Ik wil wraak nemen, Huan. Ik heb links en rechts wat rondgesnuffeld. Die jongen die bij jou was, toen met het toelatingsexamen, die werkt toch in de drukkerij van de universiteit? Ik weet dat hij studentenleiders kent. Ik wil met hen in contact komen.'

Haar verhaal vervulde me met medelijden en afgrijzen, maar nu voel ik alleen nog boosheid en teleurstelling.

Dus daarom kom je aanpappen. Het gaat niet om mij.

'Doe niet stom, Huan. Ik kan ook gewoon de drukkerij binnenlopen en die jongen aanspreken. Of zie ik eruit als een doetje? Als ik hiermee doorga, zal ik een vriendin nodig hebben die mij troost en steunt, iemand die ik kan vertrouwen. En die voor papa wil zorgen als er iets met mij gebeurt. Hij glijdt verder en verder weg. Hij leeft in een fantasiewereld. Een kind van zeven, acht misschien. Mijn grootouders zorgen voor hem en ze betalen ook mijn studies. Ze willen dat ik de praktijk overneem, maar ik wil zijn levenswerk overnemen. Dat heb ik hun niet gezegd, ze zouden het te gevaarlijk vinden.'

Ik buig mijn hoofd. In mijn herinnering zie ik mama ronddolen met een kip in haar armen.

Het spijt me. Ik had niet zo snel mogen oordelen.

'Dus je wilt me helpen?'

Op donderdagavond vergaderen ze. Om elf uur. Als je wilt, gaan we samen.

Ze lacht, we pakken onze glazen en tikken ze tegen elkaar.

Mijn vader kan zijn geluk niet op nu ik eindelijk weer een vriendin heb. Hij denkt dat ik vannacht bij Shu blijf slapen, wat ook zo is, maar dat is maar de halve waarheid. Ik moest kiezen tussen twee kwalen en liegen leek me in dit geval minder erg dan hem ongerust te maken. Ik was ook bang dat hij zou proberen me van die vergadering weg te houden. Hij gelooft niet meer dat er snel iets op grote schaal kan veranderen, dus kun je maar beter het beste uit je eigen leven halen. Een diploma en een goed huwelijk, genoeg rijst in je kom. Een kind en een kleinkind. Eén, of meer.

Shu en ik vertrekken op kousenvoeten. Haar grootouders slapen. Ze verkeren in de waan dat wij dat ook doen en ook dat kan best zo blijven. Hun schrik en verdriet zijn groter dan hun woede. Shu's vader zit onderuitgezakt voor tv, gehuld in een wolk van sigarettenrook en met een schaaltje kroepoek op zijn schoot. Hij stelt geen vragen. Hij merkt ons zelfs nauwelijks op. Tegen de tijd dat de deur achter ons dichtvalt, zal hij ons al vergeten zijn.

Kun heeft gevraagd een kwartier vroeger en te voet te komen. Te veel fietsen bij de poort op dat uur zouden maar argwaan wekken.

Hij heeft met ons afgesproken op het pleintje met de drie bomen. Het is nog vrij warm en de maan geeft net genoeg licht. Eerst zijn we alleen op straat, maar hoe dichter we in de buurt van de universiteit komen, hoe meer beweging er is. Hoewel het academiejaar nog niet begonnen is, zitten de cafés behoorlijk vol. Hier en daar is nog een kleine eetgelegenheid open en vlak bij het pleintje spuwt een discotheek met felle neonlichten tegen de gevel loeiharde muziek uit, een schril contrast met de nachtzwarte ramen van de gewone huizen. Daar is het morgen weer vroeg dag. Kun komt uit de schaduw van de bomen naar voren en ik slaak een geluidloze gil, terwijl Shu mijn arm omklemt en haar andere hand op haar hart legt. Ze kaffert hem nog net niet uit.

Door een zijpoortje lopen we achter hem aan naar binnen. We doen zo stil mogelijk en nog klinken onze voetstappen op de verlaten binnenplaats ons hol in de oren. Zijn sleutel knerpt in het slot. De deur van de drukkerij gaat open en achter ons meteen weer op de grendel. Het licht blijft uit. Wachten. In volslagen stilte. Een zacht klopje op de deur. Dan twee kort na elkaar. 'Dageraad', het wachtwoord, op fluistertoon. Een schim glipt naar binnen. 'Avond iedereen', net zo zacht. Grendel er weer op. Als iedereen binnen is, verhuizen we via een achterdeur en een doolhof van gangen en trappen naar een kelderruimte. Kun loopt voorop met een zaklamp. Als dieven in de nacht. Ik tel zeventien man. Sheng-Du steekt er met zijn hoofd bovenuit. Hij heeft me gezien en zwaait naar me. Ongewild voel ik me warm worden bij de herinnering aan hoe we met elkaar gedanst hebben. Zijn huid, zijn blik. Ik moet me niets in mijn hoofd halen. Het was poppenkast, Huan, meer niet. Poppenkast.

In de kelder zijn verweerde houten tafels in een rechthoek tegen elkaar geschoven. Daarboven brandt een flauw plafondpeertje. Sheng-Du zit helemaal aan de andere kant. Kun stelt mij voor en daarna geeft hij het woord aan Shu, die zelf haar verhaal doet. Als ze klaar is, stellen de anderen zich voor. Ze zeggen hun naam en welke faculteit ze vertegenwoordigen. Sheng-Du is de afgevaardigde voor Taal en Letteren, maar dat wist ik al, Yin is die voor geneeskunde. Ze begint aan haar laatste jaar en wil afbouwen. Zelfs hier wordt alleen op gedempte toon gepraat en buiten bij de deur houdt iemand de wacht. Hij staat in verbinding met onze man aan de poort.

Elke vertegenwoordiger geeft een overzicht van de informatie die hij of zij sinds de vorige bijeenkomst bij de achterban heeft kunnen inwinnen. Kun is het verzamelpunt voor arbeiders die zich bij de studenten hebben aangesloten. Het gaat zowel om nieuws dat de media heeft gehaald en door de Partij sterk werd bijgekleurd, als om gelekte inlichtingen, verontrustende verdwijningen, politieke arrestaties of andere vergeldingen die de krant of het tv-journaal niet hebben gehaald, waarschuwingen voor mogelijke spionnen en de stand van zaken in verband met geplande ontsnappingen naar het westen. Per faculteit verzamelen de vertegenwoordigers kopij. Dat gebeurt zo omzichtig – dat wil zeggen: zo anoniem – mogelijk. Het risico om betrapt en gefolterd te worden zit er altijd in en dan is het beter om geen namen te kennen. Als ik ermee akkoord ga, zou ik Sheng-Du bijstaan met de eindredactie van de muurbrieven en het verzetsblad. Het is zijn laatste jaar aan de universiteit en net zoals Yin wil hij in juni de fakkel doorgeven, om zelf vanuit de achtergrond de beweging te blijven steunen. Ik knik. Hiervoor ben ik gekomen.

Het laatste punt is de vraag van Shu, waar we over gaan stemmen. Er zijn bedenkingen. Iedereen is geschokt door het verhaal, maar de beweging wil geen podium zijn voor persoonlijke wraak. Het is één voor allen en allen voor één. Shu haast zich om hen gerust te stellen.

'Natuurlijk! Zo had ik het ook zelf bekeken. Ik zou alleen liever een actievere rol willen dan het vergaren van informatie en het inleveren van kopij.'

'Je zou de verantwoordelijkheid van een plakploeg op je kunnen nemen. Ik veronderstel dat je de risico's kent', oppert een jongen die Bai heet.

'Ik doe het.'

'Mooi. Ik zorg ervoor dat je de nodige informatie krijgt.'

De vergadering is afgelopen. Kun herinnert iedereen er nog even aan om lege blikjes en flesjes weer mee naar huis te nemen. Geen sporen voor de bloedhonden. Hij knipt de zaklamp aan en het peertje uit. Stilte onderweg. Terug boven in de drukkerij mogen we per twee vertrekken zodra de wachtpost aan de poort het sein op veilig zet. Vannacht zijn er geen problemen.

'Stilte voor de storm', veronderstelt Manchu, de wetenschapper. 'Wacht tot volgende maand het academiejaar is gestart!'

Kun geeft Shu een hand en mij een knuffel. Hij wrijft over mijn rug. 'Ik ben blij dat je gekomen bent.'

Geef Lian een kus van me. Is alles in orde met haar?

'Meer dan in orde.'

Hij glimlacht raadselachtig en ik denk dat ik weet waarom. Sheng-Du omhelst me ook. Hij stopt een papiertje met zijn gegevens in mijn hand, zegt dat ik ze uit mijn hoofd moet leren en daarna het briefje verbranden.

'Zodat je me weet te vinden als je me nodig hebt', zegt hij. 'Of gewoon zomaar, Huan. Ik wil graag vrienden zijn.'

Ik neem het aan, maar beloven doe ik niets. Onderweg naar huis kan Shu het niet laten me te plagen.

'Knappe aanbidder heb je!'

Doe niet onnozel!

'Toch, Huan! Zoals hij naar je kijkt!'

Kijk liever daar!

Een politiepatrouille op een motor komt de hoek om gedraaid. Eerst rijden ze ons voorbij, maar we herademen te vroeg. Ze keren om en komen stapvoets naast ons rijden. Ze doen ons stoppen.

'Wat doen jullie zo laat op straat? Twee meisjes alleen, je weet toch dat dat gevaarlijk kan zijn?'

'We komen van ons werk. We wassen af in een bar.'

Shu klinkt zelfverzekerd. Haar stem trilt zelfs niet.

'En jij?'

'Zij ook. Ze kan niet praten. We zijn doodmoe.'

De agenten overleggen op fluistertoon met elkaar. Ze zijn het niet met elkaar eens. Eindelijk gebaart de oudste van de twee dat het in orde is.

'Oké, jullie kunnen gaan, maar ik onthoud jullie gezichten. Je kunt beter niet gelogen hebben.'

Mijn hart bonst en mijn knieën knikken. Pas als de patrouille uit het zicht verdwenen is, durven we elkaar weer aan te kijken.

'Dat scheelde geen haar', zegt Shu. Nu breekt haar stem wel.

Dankzij jouw tegenwoordigheid van geest.

'Als ze naar de naam van de bar gevraagd hadden, hadden we gehangen.'

Maar dat hebben ze niet. Denk je dat we de anderen moeten waarschuwen?

'Je kunt ermee naar Sheng-Du gaan. Dat zou ik zeker doen als ik jou was.'

Ze probeert ernstig te klinken, maar kan haar lach nauwelijks bedwingen. Ik geef haar een por, die ietsje te hard uitvalt, maar het breekt in elk geval de spanning. Nog één straat en we zijn thuis. Veilig.

De volgende dag vraagt mijn vader honderduit hoe ik het bij Shu heb gehad. Hij dringt er ook op aan dat ik dat vaker moet doen, een avondje stappen met een vriendin. Zonder het te weten geeft hij me het perfecte excuus.

'De volgende keer moet Shu bij ons blijven slapen', zegt hij. 'Ieder om de beurt maakt de beste vrienden.'

Haar pa is ziek. Ze kan hem 's nachts niet alleen laten.

Van de ene leugen of halve waarheid komt de andere. Ze staan sneller op papier dan ik kan denken. Ik schaam me dood. Het wordt nog erger als hij zegt dat vaders boffen met dochters zoals wij.

We zijn klaar met eten. Ik duw hem naar de bank om te rusten, terwijl ik zal afruimen en afwassen. Als ik terugkom, is hij in slaap gevallen. Dat gebeurt vaker de laatste tijd. Van thuis op het rijstveld te werken was hij nooit zo moe, terwijl dat zoveel zwaarder was. Het is het geknecht zijn, de vernederingen die hij moet slikken en nog meer het antwoord dat hij niet mag geven, want dat kost hem elke keer een hap uit zijn loon.

Ik zet de tv een beetje luider voor het nieuws. Het is de gewone propaganda. Hoe goed de economie draait sinds Deng de vrijheid van handel stimuleert. Werk en rijkdom voor iedereen. Toch zijn er blijkbaar ondankbare sujetten die de Partij, die voor zoveel welvaart zorgt, ten val willen brengen. Het is dan ook de plicht van iedere rechtgeaarde burger, en in zijn eigen belang, om die nestbevuilers aan te geven. Wie dat verzuimt, maakt zich medeplichtig aan landverraad en zal als zodanig berecht worden.

Mijn vader, die wakker is geworden en de laatste zinnen ook heeft gehoord, schudt ongelovig het hoofd.

'Dat kan toch niet', zucht hij. 'Straks moeten ouders hun kinderen aangeven en omgekeerd. Willen ze een burgeroorlog, of wat? Beloof me één ding, Huan. Hou je ver van politiek. Misschien vind je me een lafaard, maar ik ben realistisch. Als dokter kun je straks meer voor de mensen betekenen dan wanneer ze je zouden opsluiten of doden. Ik heb mijn bijdrage aan de vrijheid geleverd. Ik ben een zoon en mijn vrouw kwijt. Als Tao niet naar die soldaten had willen kijken ... Als dat stuk officier niet ... Niet ook nog mijn dochter, Huan.'

Ik knik, met mijn ogen naar de grond. Morgen zal ik naar Kun en Sheng-Du gaan en zeggen dat ik er toch niet mee kan doorgaan.

Sheng-Du woont in een hutong, een van de nauwe steegjes in de oude stad, waar telkens verschillende huizen rond een binnenplein zijn gebouwd. Hij woont er met zijn ouders en grootmoeder. Zijn vader is schoenmaker, zoals de meeste andere mannen in de steeg, al generaties lang. Ze dankt er haar naam aan, Schoenlapperssteeg. Sheng-Du is de enige die studeert. Hij is ook de enige van zijn leeftijd die niet getrouwd is en geen kind heeft. Het is weekend. De kinderen hangen landerig rond op het binnenplein, waar de bloemen en de paar bomen er droog en geel bij staan door de hitte. Alleen de cactussen gedijen. Het is te warm om te spelen, tenzij in de plastic teil met water.

Ik hang uit het venster van zijn kamer en kijk naar beneden, terwijl hij de brief leest die ik vannacht geschreven heb. Uit de woonkamer komen de geruststellende geluiden van rinkelende theekopjes, de tv, iemand die zacht iets zegt. Toen ik aankwam, was zijn moeder met verstelwerk bezig. De grootmoeder deed een middagdutje. Ze snurkte. Waar zijn vader was, werd niet gezegd.

Sheng-Du doet lang over mijn brief. Ik ben bang voor zijn oordeel. Ik ben eerst bij Kun langsgegegaan, maar daar was niemand thuis. Dat was gemakkelijker geweest, of ook niet. Beneden huilt een kind.

Sheng-Du komt achter me staan. Als hij begint te spreken, klinkt zijn stem zacht. Verzachtend. Zoals zalf op een brandwond.

'Het verdriet van je vader is groot', zegt hij. 'Misschien is het te groot om nog meer offers aan te kunnen. Daar mag ik niet over oordelen. Maar hij haalt dingen door elkaar, Huan. Hij zoekt een zondebok. Je broer is niet gestorven door de schuld van de Partij. Hij is gestorven omdat mensen hun verantwoordelijkheid niet wilden nemen. Door lafheid.'

Meer zegt hij niet. Hij vraagt niet of ik ook iemand wil zijn die weigert zijn nek uit te steken. Ik hoor de vraag in mijzelf. Ze rolt af en aan in mijn hoofd als de golfslag van water. Mijn geweten weet wat me te doen staat, maar moet ik na mijn broer en mijn moeder straks ook mijn vaders dood op mijn geweten hebben? Heeft menselijkheid dan twee gezichten die elk een andere kant opkijken?

Het kind is gestopt met huilen. De moeder heeft het op haar schoot genomen en geeft het de borst. Sheng-Du legt zijn handen op mijn schouders.

'Ik zal je niets kwalijk nemen, Huan. Jij alleen kunt voelen hoe zwaar de last is die je al draagt. Je kunt ook alleen je eigen weg gaan, niet die van een ander, zelfs al denk je dat je door die ander die weg op bent gestuurd. Je voeten gaan waarheen jij ze laat gaan. Wat verschilt, is wat hen beweegt: soms is dat vrijheid van geest, en soms is dat angst.'

Wat zou Tao gedaan hebben? Mijn drakenbroer. Hij liep niet weg van de krokodillen. Hij sprong erover, met het risico dat ze hem te grazen namen.

Ik probeer nog tegen mezelf te zeggen dat het een dwaze vergelijking is. Het waren maar regenplassen. Dat is zo. En hij was maar een kind en ik ben achttien. Mijn voeten hebben gekozen op de dag dat ik in zijn spoor trad, maar hoe moet ik dat straks aan papa vertellen, zonder dat hij me weer bij mijn oor trekt voor mijn ongehoorzaamheid? Zal hij geloven dat het me spijt, maar dat ik niet anders kan? *Ik ben toch de zoon geworden die je verloor,* zal ik zeggen. *Zo goed als ik kon. De draak van wie je grootse dromen had. Ik vraag niet dat je nog van me houdt. Ik vraag niet dat je me vergeeft. Maar respecteer me, om Tao's naam.* Zo zal ik het zeggen.

Ik draai me om naar Sheng-Du en kijk hem recht in de ogen. Even ernstig kijkt hij terug. Dan tekent hij langzaam met zijn wijsvinger de lijn van mijn mond.

1989

Ik weet niet waar de tijd gebleven is. Het is begin april. Nieuwjaar is voorbijgegaan en straks is het Qingming, zonder dat we de graven zullen bezoeken. Het is een harde beslissing en de excuses verzachten nauwelijks. De treinreis is vermoeiend en duurder dan we ons kunnen veroorloven, en waar zouden we slapen? Bovendien heb ik elke minuut nodig om te studeren. Ik probeer nog mijn vader zover te krijgen dat hij alleen gaat, maar hij zegt dat ik hem meer nodig heb dan de doden en we kunnen ook thuis offeren. Thuis. Dat woord klinkt nog altijd onwennig als hij het over Beijing heeft. Het knelt zoals schoenen die je te klein hebt gekocht.

Papa heeft er ook opnieuw op aangedrongen dat ik mijn werk bij McDonald's opzeg, als tijd dan toch zo kostbaar is. 'Je hebt het beloofd', zegt hij. Daar heb ik niet van terug, maar het geld is nog harder nodig dan de tijd. Misschien, als over enkele weken de blokperiode begint, dat ik dan nog alleen in het weekend ga. Zo houd ik het inderdaad niet vol. Ik slaap maar vijf uur per nacht. De meisjes in het restaurant zijn niet langer bang voor me, maar ze zoeken ook geen toenadering. Als ze met mij moeten werken, zetten ze een walkman op, tegen de verveling en tegen de stilte. En Dong spot niet meer met me sinds hij via via te weten gekomen is dat ik mee insta voor de eindredactie van de studentenkrant en de muurbrieven.

Mijn vader weet het ook. Meteen toen ik van Sheng-Du kwam, heb ik open kaart met hem gespeeld. Ik had alles opgeschreven zoals het door mijn hoofd was gegaan. Hij heeft mijn brief gelezen en herlezen, terwijl ik angstvallig naar zijn gezicht keek en zag hoe de worsteling geleidelijk plaats maakte voor vrede. Toen hij me aankeek, na wat een eeuwigheid leek, rolden er tranen over zijn ingevallen wangen. Hij spreidde zijn armen en ik liep op hem toe en liet me omhelzen, wiegen, troosten, terwijl ik op mijn beurt begon te huilen van opluchting. Toen ik een beetje bedaard was, tilde hij mijn kin op en dwong me hem aan te kijken.

'Nu moet je eens goed naar me luisteren, Huan. Natuurlijk ben ik bang, ontzettend bang zelfs, maar ik ben ook ongelooflijk trots', zei hij. 'Ik ben je vader. Ik houd van je, wat er ook gebeurt, wat je ook doet of beslist. Vergeet dat alsjeblieft nooit meer. Je bent mijn kind.'

Ik slikte en glimlachte naar hem, met mijn hele hart. Het lag zonder geheimen voor hem open.

'Mama en Tao zouden ook trots op je geweest zijn', zei hij.

Hij wilde mijn brief graag bewaren, maar ik moest hem vragen hem te verbranden.

'Natuurlijk. Dan bewaar ik de as.'

Hij schudde ze voorzichtig in de urne met de as van mama's verbrande kleren, daarna zette hij het deksel weer op de pot. Het gebaar had iets van een liefkozing waarin de weemoed zich genesteld heeft zoals herfst in een esdoornblad. Ik wilde papa graag iets geven, iets tastbaars. Iets van mezelf dat bij hem bleef als hij op me zou zitten wachten. Ik wist dat hij dat zou doen, al maakte ik hem nog duizend keer duidelijk dat het niet hoefde. Je hebt je rust nodig, papa. Ga toch slapen! Dan knikte en glimlachte hij. 'Juist, meisje. Rust is als ik weet dat jij veilig bent.' Ik gaf hem de lappendeken. Als ik 's nachts van de vergadering thuiskom, zit hij erin gehuld en staat er een pot verse thee klaar op tafel.

Mijn vader doet wat hij kan om me werk uit handen te nemen, maar hij is zelf vaak afgepeigerd als hij thuiskomt van zijn werk. Dus hol ik naar de lessen, naar huis, naar de winkel, naar Sheng-Du voor de eindredactie, naar de wasserette, en tussen de bedrijven door schrijf ik mijn papers, studeer ik en maak ik tijd voor mijn vrienden. Lian moet eind mei bevallen. Het gaat niet zo goed met haar. Ze moet thuisblijven en veel rusten en snakt naar een beetje gezelschap en afleiding. Kun holt evengoed. Van het werk naar de vergadering naar de wasserette naar de winkel naar huis, waar hij kookt en poetst en strijkt. Lians ouders helpen ook, maar er blijft altijd nog een hoop te doen. Toen ik gisteren even binnenwipte, was Kun de wieg aan het schilderen, de wieg waar Lian nog in heeft gelegen en voor haar ook haar moeder en grootmoeder. Hij glunderde van trots en liefde en ik moest gewoon even zijn hand vastpakken, ik kon het niet laten, en er een kus op drukken. Hij lachte en noemde me zijn zusje. Daar werd ik gelukkig van én een beetje verdrietig, maar toch vooral gelukkig. Daardoor weet ik dat het eindelijk beter met me gaat. Ik draag Tao steeds minder als een last op mijn schouders en steeds meer als een veertje in mijn hart. Ik voel het kriebelen als ik aan hem denk.

Shu komt vaak bij ons thuis. Het is er rustiger dan bij haar, waar de tv de godganse dag loeihard staat en de sigarettenrook in je hersenen kruipt zodat je niet meer helder kunt denken. We studeren samen, maar meer en meer komt ze ook voor papa. Hij heeft een beetje de plaats van haar eigen vader ingenomen, die onbereikbaar opgesloten zit in zijn eigen wereld. Aan haar grootouders heeft ze ook niet zoveel. Ze zijn oud en houden nog alleen aan het leven vast omdat ze niet gemist kunnen worden. Shu is mijn vriendin, toch haalt ze soms naar me uit. Ze kan het moeilijk verteren dat zij niet langer naar de donderdagvergaderingen mag en ik wel. Dat hebben de anderen zo beslist. Ze wil niet maar één van de honderdduizenden anonieme studenten zijn. Ik begrijp haar, maar ik zou willen dat ze er niet steeds weer over begon. Ze zet me tussen twee vuren en ik héb het haar al uitgelegd.

Jij hebt je plakploeg, Shu. Het risico dat jij wordt opgepakt is te groot. Hoe minder je dan weet, hoe beter, voor ieders veiligheid.

'Als je soms denkt dat ik jullie zou verraden!'

Ik antwoord niet en ze beseft dat ik net zoals zijzelf aan haar vader denk. Ze buigt haar hoofd. Het is geen verwijt, het is onze menselijkheid. Niets maakt ons sterker en kwetsbaarder dan de liefde.

Gelukkig maken Shu en ik ook veel plezier. Sinds kort is ze samen met Bai, de coördinator van de plakploegen en student rechten. Ze vragen of ik zondag met hen meega. Een laatste uitstapje voor de blokperiode begint.

'Vraag aan Sheng-Du of hij ook meegaat', stelt ze voor. 'Gezellig met ons vieren. We willen naar de dierentuin.'

'Jij wilt naar de dierentuin', lacht Bai. 'Ik wil liever naar de Muur.'

Ik beloof niets. Shu wil ons nog altijd koppelen, maar Sheng-Du en ik zijn gewoon vrienden. Goede vrienden. Dat is het beste waar ik in het leven op mag hopen, al zijn er dagen en vooral nachten waarin het verlangen mijn gezond verstand opeet. Voor het rijstveld hoef ik niet langer bij papa te blijven, maar wat moeten een man en een kind met iemand die niet praat? Het is niet meer alleen dat ik het niet wil. Ik kan ook niet meer praten. Ik heb het geprobeerd. Ik probeerde zijn naam te zeggen en er kwam niets uit mijn keel, niet het zwakste geluid. En dan nog, het zou niets veranderen. Voor Sheng-Du ben ik zijn rechterhand, zijn liefde is politiek.

Sinds enkele weken loopt er een petitie tegen de regering om alle politieke gevangenen vrij te krijgen. We mikken daarbij vooral op Wei Jingshen. Hij is een symbool. Het zou fantastisch zijn als dat zou lukken! Met een extra muurbrief willen we een ultieme oproep lanceren. Al heel veel burgers hebben hun stem uitgebracht, maar te velen zwijgen nog. Om hun geheugen op te frissen hebben Sheng-Du en ik een hele avond aan een portret van Wei gewerkt, met de integrale tekst van het pamflet dat hij zelf in 1978 tegen de Muur van de Democratie heeft geplakt. Het zorgde toen voor veel ophef. Wei – die Deng zonder omwegen een politieke zwendelaar noemde die vervelende kletskoek uitkraamde – was prompt opgepakt. Hij kreeg vijftien jaar cel, zogezegd wegens spionage.

Ik heb de tekst uitgetypt en draai het papier uit de machine. Sheng-Du leest mee over mijn schouder, de conclusie hardop. *Echte vrijheid begint bij jezelf. Het is toegelaten dat je voelt wat je voelt en denkt wat je denkt. Alleen dan ben je echt. Sta dus op. Sta. Besta!*

Hij staat heel dicht achter me. Door zijn kleren heen voel ik de warmte van zijn huid. Zijn adem kietelt in mijn hals.

'Durf jij altijd te voelen wat je voelt, Huan? En is dat dan hetzelfde als wat ik voel?'

Ik sluit mijn ogen. We zijn verzetsstrijders, dat weet hij toch.

Hij legt zijn handen op mijn schouders en zijn lippen op mijn schedel. Hij drukt er een kus op. Mijn hart fladdert als een vogeljong dat voor het eerst het nest moet verlaten en vliegen.

'Huan', fluistert hij. 'Mijn papieren stem. Mijn meisje.'

Het klinkt zoals ik denk dat 'liefste' klinkt en ik stort niet te pletter als hij me kust, mijn vleugels en zijn armen dragen me. We vliegen samen, steeds hoger, vanzelf, zoals adelaars op de thermiek.

Ik zou bij hem blijven slapen als mijn vader dan niet doodongerust zou zijn. We hebben geen telefoon meer, want we hebben ook geen familie meer. Zoals altijd loopt Sheng-Du met me mee naar huis, deze keer met zijn arm om me heen. De nacht is nog fris, maar helder. De sterren stralen feller dan anders. Ik denk aan de voorouders die deze dagen worden gevierd en aan mama en Tao, die vergeefs op ons zullen wachten en zich in de steek gelaten zullen voelen. Met mijn stille woorden roep ik hen. *Ik ben jullie niet vergeten. Ik denk aan jullie. Als jullie daarboven ergens zijn, waak dan over me. En over papa en Sheng-Du. Over ons allemaal.*

Er broeit iets in de stad. De spanning is al dagen te snijden en de politiecontroles zijn verscherpt. Onderweg stoppen we de kopij voor de muurbrief bij Kun in de bus. Als hij ze morgen in de loop van de dag kan afdrukken, kan de plakploeg tegen de avond nog aan het werk. Voor de deur van mijn huis kust Sheng-Du me op de mond. Hij wil blijven staan tot ik veilig binnen ben en hij boven achter het raam het licht aan ziet gaan, maar ik wil naar hem blijven kijken tot hij om de hoek verdwijnt, een laatste keer zwaait. Op roze wolkjes loop ik de trap op. Papa is op de bank in slaap gevallen, de lappendeken is van hem afgegleden. Ik dek hem weer toe. Voorzichtig neem ik ook de bril van zijn neus en leg hem op de tafel. Ik geef een kus op zijn voorhoofd. Ik ben verliefd, papa. In mijn kamer pak ik de lippenstift die ik van hem kreeg en ga ermee voor de spiegel staan. Ik ga over mijn lippen zoals Sheng-Du dat met zijn vinger deed. Ik kijk in de ogen van een vrouw. Ik mag voelen wat ik voel. Ik streel over mijn schedel. Als ik heel goed voel, voel ik een heel klein beetje dons. Aan het einde van de week zal ik het niet opnieuw afscheren.

Het is veertien april. Als ik in bed stap, besef ik dat ik Sheng-Du vergat te vragen of hij meegaat op ons uitstapje naar de dierentuin, maar dat kan morgen nog.

***

Bij het schrille, aanhoudende geluid van de deurbel schiet ik recht in bed. Op straat wordt door elkaar geschreeuwd en beneden bonst iemand met een hard voorwerp op de deur. Doorheen al het tumult vang ik mijn naam op. 'Huan! Huan!' Mijn hart gaat zo hevig tekeer dat ik er misselijk van word. Het zweet breekt me uit en even wordt het me zelfs zwart voor de ogen. Na een paar keer uitademen gaat het beter. Het is licht, ik moet me verslapen hebben. Mijn gedachten draaien ijlings de klok terug op zoek naar een aanknopingspunt. Gisteravond bij Sheng-Du. De muurbrief. Zijn kus. *Er broeit iets in de stad, Huan. Het kan nooit meer lang duren.* Trillend op mijn benen sta ik op en wankel naar het raam, trek het open. Beneden staat Kun.

'Hu Yaobang is dood. Snel, Huan! Haast je!'

Ik schiet in mijn kleren. Intussen hoor ik papa ook al stommelen. Overal in het gebouw gaan deuren open, klinkt geschreeuw. Kun komt buiten adem de trappen op gestormd.

'Tiananmen loopt vol', hijgt hij. 'De hele stad is in rouw. Er wordt nergens anders over gesproken. Een partijleider zoals Hu Yaobang krijgen we nooit meer! Ineens herinnert iedereen zich dat hij drie jaar geleden onze kant koos tegen Deng en zijn conservatieven. Hij was onze laatste hoop en nu is hij dood én een held. Het volk schreeuwt om zijn eerherstel. Vooruit, waar wachten jullie nog op?'

'Dit wordt bloedvergieten', zegt mijn vader stil. Onder zijn huid, die getaand is van de buitenlucht, heeft hij ineens de vaalbleke kleur van een oude man.

'Niet als iedereen meedoet. We zijn in de meerderheid. Nu moeten zij bang zijn voor ons. Ze kunnen ons niet allemaal neerschieten of opsluiten of doodzwijgen, of ze zouden in het hele land het telefoonnet moeten platleggen. In bijna alle steden zijn rellen uitgebroken en overal sluiten arbeiders zich bij ons aan. Dit is onze kans!'

Mijn vader blijft voorzichtig.

'Hoe reageert de politie? Zijn er doden, gewonden?'

'Dat willen we vermijden, maar als we de massa in de hand willen houden, moeten we voortmaken. Vanuit de studentenbeweging is altijd gezegd dat Beijing voor een vreedzame revolutie wil gaan, naar het voorbeeld van Gandhi en Martin Luther King. Kom je, Huan?'

En Sheng-Du? Ik ga niet zonder hem. En Shu? Bai? Zijn ze gewaarschuwd? Waar is er hier papier, een pen?

Kun grijpt me bij mijn pols. Ik ruk me los, loop naar de tafel en begin in de kantlijn van de krant te schrijven. Intussen schiet mijn vader in zijn schoenen. Hij gaat mee, nog één minuutje. Alleen nog even naar de wc.

Kun zucht en zet de tv aan. Het overlijdensbericht van Hu Yaobang loopt over het scherm, maar van een volksopstand is niets te zien of te horen. Uiteraard niet. Ze zullen de lucifer niet aan de lont steken. Ik duw de krant onder zijn neus.

'Sheng-Du komt wel naar het plein', zegt hij. 'De anderen zullen daar intussen ook al zijn. Straks zijn we de laatsten.'

Buiten klinkt het tumult steeds luider. Ik loop naar het raam. De meute zwelt aan. Je kunt al haast over de koppen lopen. Daar vind je niemand in terug.

Mijn vader komt binnen en Kun zet het tv-toestel uit. Hij staat al met de deurklink in zijn hand.

Ik ga niet zonder Sheng-Du. Ik blijf staan, met gekruiste armen. Kun wordt kwaad.

'Zo wordt het niks. Willen jullie misschien nog eerst thee drinken, of wat?'

Doe niet onnozel. Je weet wat ik wil.

Mijn vader grijpt Kun bij zijn arm. Hij praat rustig, met gezag.

'Kalm, jongen. We moeten ons organiseren. De kans is groot dat er straks gevochten wordt, dan blijven we beter bij elkaar. Is Shu al gewaarschuwd?'

'Ze is vannacht bij Bai blijven slapen. Ze wachten op ons bij het mausoleum van Mao. Ik ben er zeker van dat Sheng-Du ook al op weg is naar het plein, maar Huan wil per se op hem wachten.'

'Dan wacht ik samen met haar op hem en komen we daarna zo vlug mogelijk naar het mausoleum.'

Terwijl we de trappen aflopen, blijft Kun mopperen dat het verloren tijd is. Andere bewoners voegen zich onderweg bij ons of gaan bij buren aankloppen. 'Er is revolutie. Zeg het voort. Iedereen naar Tiananmen.' Op straat beweegt de gezwollen mensenstroom zich duwend en wringend naar het plein. Dan herken ik Sheng-Du, die er met zijn hoofd bovenuit steekt. Met zijn fiets noodgedwongen aan de hand probeert hij zich een weg naar ons huis te banen. Ik stoot Kun aan. *Wat zei ik je!* Ik loop Sheng-Du tegemoet om hem onder de verblufte blikken van Kun en papa om de hals te vliegen. Mijn vader is helemaal ondersteboven, meer dan door de revolutie, maar hij glundert en heeft ineens weer kleur op zijn gezicht. Kun moet nog even meesmuilen.

'Dat noem ik achterhouden van informatie', bromt hij. Gelukkig vertellen de pretlichtjes in zijn ogen een ander verhaal. 'Aan de andere kant ging het ook wel tijd worden. Jullie waren de enige twee die het niet zagen. Hoe lang ...?'

Sheng-Du wuift de vragen weg.

'Later. Kan mijn fiets veilig in de gang staan? Wacht, mijn rugzak nog pakken. Ik heb drinkbussen meegenomen, je weet nooit. Het is begonnen, mensen! Kunnen jullie het geloven? Het is eindelijk begonnen.'

Hij pakt mijn hand en we voegen ons bij de schreeuwende, scanderende mensenstroom.

Op de afgesproken hoek van het mausoleum vinden we de anderen terug. Ze zijn blij ons te zien en helemaal opgewonden. De revolutie broeide al heel lang, nu gaat het echt gebeuren. Als Shu Sheng-Du en mij ook nog hand in hand ziet lopen, is ze helemaal door het dolle heen. Als we haar haar gang lieten gaan en er moest niet dringend overgegaan worden tot de orde van de dag, dan knuffelde ze ons dood.

Bai geeft een stand van zaken. Hij wil een massale protestmars. Overmorgen is misschien te vroeg om het georganiseerd te krijgen, maar de achttiende, dat moet haalbaar zijn. Dan leggen we meteen ook onze eisen voor aan het Nationaal Volkscongres. Als we met genoeg zijn, zet dat premier Li Peng misschien voldoende onder druk om toch met ons te willen praten.

Bai heeft al een voorstel uitgewerkt en laat het papier rondgaan:

- *Het in ere herstellen van Hu Yaobang*
- *De vrijlating van alle politieke gevangenen*
- *Openheid over de salarissen van de partijleiders en hun kinderen*
- *Persvrijheid*
- *Een hoger salaris voor de intellectuelen*
- *Meer fondsen voor onderwijs*

Daar lijkt niets aan toegevoegd te moeten worden. Kun neemt het papier mee naar de drukkerij. Ik ga met hem mee. Er moeten nog oproepbrieven voor de mars komen. Hoeveel? 'Hoe meer hoe liever. Intussen probeert Bai de plakploegen te waarschuwen. Afspraak om 20 uur aan de universiteit. O ja, Huan, zet op die oproep ook maar dat ze spandoeken en protestborden moeten meebrengen. Manchu, jij kon aan een megafoon komen? Sheng-Du ... Yin ...'

We zijn vertrokken. Er is geen weg terug meer.

❖❖❖

De protestmars wordt een gigantisch succes. Met meer dan tienduizend mensen demonstreren we op het Plein van de Hemelse Vrede. Een dag later zijn we al met vier keer zoveel. Lian volgt het nieuws voor ons op radio en tv. Ze vindt het vreselijk dat ze niet bij ons kan zijn, maar Kun is onverbiddelijk. Haar laatste maand gaat bijna in en hij wil niets riskeren. Hij gaat 's nachts ook thuis slapen. De meesten van ons hebben dekens, slaapzakken en zelfs tentjes naar het plein gesleept. We gaan alleen naar huis om ons te wassen of om schone kleren aan te trekken. Eten wordt gedeeld, net zoals de honger als er niets te eten is. En nog komen er elke dag studenten en ook steeds meer arbeiders bij. Alle steun is welkom. Er zijn nog steeds onbemande plavuizen op het plein, dat het grootste van de wereld is.

Vandaag, drie dagen na de protestmars, houden we een officiële herdenkingsplechtigheid voor Hu Yaobang. We zijn met vierhonderdduizend, dat is andere koek dan het belachelijke handvol waar de pers gewag van maakt. We steken spandoeken en protestborden omhoog met slogans voor persvrijheid en democratie. Iemand schreeuwt onze eisen door een megafoon. We willen met de politieke leiders praten. We zullen dat gesprek afdwingen als het moet. We pikken het niet langer dat ze doof en blind blijven voor onze eisen. Er moet een einde komen aan de corruptie. Aan de vriendjespolitiek en de zakkenvullerij. Betaalbaar brood voor iedereen. Gedaan met mensen zonder proces in de gevangenis te gooien, alleen omdat ze het oneens zijn met de regering. Recht op het recht om vrij voor onze mening uit te komen, in de pers, op tv, op de muren, in het café, de kunst, op elke hoek van de straat. En leve Hu Yoabang! Hij is niet dood. Zijn geest leeft onder ons!

In andere steden verloopt de revolutie minder vreedzaam. Als hevige rellen in Changsha en Xi'an mensenlevens kosten, komen we met het donderdagavondcomité in spoedzitting bijeen. Geweld is niet wat wij willen. Als alternatief lanceren we een oproep om massaal de colleges te boycotten. Enkele heethoofden verwijten ons lafheid. Ze zeggen dat we bang zijn voor represailles. Als die moeten komen, komen ze, maar wij zullen ze niet uitlokken. Wij geloven dat je geweld met zachtheid breekt, zoals stromend water met geduld en volharding de hardste rotsen splijt. We spiegelen ons aan Xu Xing. Hij is al jaren een luis in de pels van Deng en van de Oudsten, die geen ander verweer tegen hem hebben dan de onterechte miezerige beschuldiging dat de schrijver ziek in zijn hoofd is. Wat ze van hem denken raakt zijn koude kleren niet, maar de gevaren van hun domheid, die persoonlijke macht verheft boven wijsheid en algemeen belang, mag je niet onderschatten. Toch is hij niet bang maar hoopvol en die boodschap stuurt hij met vaste pen de wereld in: het volk spreekt en opent zijn hart, en we moeten erop vertrouwen dat de kracht van dat hart kan en zal worden verstaan.

We voelen ons sterk, zelfs bijna euforisch. Het is onmogelijk dat de partijtop nog veel langer zijn kop in het zand kan steken. Ze komen inderdaad in allerijl bijeen en nog dezelfde avond legt Deng op tv een korte verklaring af, waarin hij ons beschuldigt van gebrek aan vaderlandsliefde, meteen een excuus om zijn politieke honden op ons af te sturen. Het plein wordt ontruimd en even smaakt de ontgoocheling bitter, maar het opgeven? Dat nooit! Deng mag deze slag gewonnen hebben, de oorlog nog lang niet. We moeten ons beraden.

Met een kerngroep komen we samen in Kuns huis. Gelijksoortige bijeenkomsten gebeuren op verschillende plaatsen in de stad. Uit voorzorg hebben we ons zo opgesplitst. Als de politie ergens binnenvalt, raken ze een hand, een arm, maar nooit het hoofd of het hart van de beweging. Lian zit er stil en bleek bij. Als ik haar even apart heb, vertrouwt ze me toe dat ze vanochtend weer weeën heeft gehad, maar dat het nu beter is. Ik kijk haar onthutst aan.

Je hebt dat toch ook tegen Kun gezegd?

'Nee, nee, hij mag het niet weten. Ik wil hem niet ongerust maken. Het zal wel loos alarm zijn. Jij mag hem ook niets zeggen, Huan. Dit is zijn moment. Hij droomt al zo lang van de revolutie.'

En zijn kind dan? Haar woorden maken me boos, maar ze legt een vinger op haar lippen en kijkt me zo smekend aan dat ik me een wreedaard zou voelen als ik weigerde.

'Ik wil het zo, Huan. Als het erger wordt, zeg ik het hem. Beloofd.'

Ik ben maar half gerustgesteld. Die avond, als ik naast Sheng-Du lig, in zijn arm, bij hem thuis, kan ik de slaap niet vatten. Lian blijft door mijn hoofd spoken. Als hij me hoort zuchten, wil hij weten wat er scheelt. Ik knijp in zijn hand, maar hij laat zich niet afschepen.

'We kunnen beter opstaan', zegt hij. 'Ik zal thee zetten en jij schrijft op wat er is.'

Op onze tenen, om zijn ouders en grootmoeder niet wakker te maken, lopen we naar de keuken. Het is het midden van de nacht. De hemel achter het keukenraam is bijna zwart, met af en toe een versluierde flard maan achter een scheur in de wolken. Ik schrijf. Het water in de ketel zingt.

Ik maak me zorgen, Sheng-Du. Maar als ik er tegen Kun iets over zeg, verraad ik Lian. Ze vertrouwt me. En als ik niets zeg en het loopt fout, vergeef ik het me nooit.

Ik geef hem het papier. Als hij het gelezen heeft, glimlacht hij.

'Misschien kun jij overdag bij haar blijven', stelt hij voor.

En jou alleen laten?

'Je laat me niet alleen, Huan. Je bent in mijn hoofd en in mijn hart, in alles wat ik zeg en denk en doe. En zo ben ik ook bij en met en in jou.'

En de revolutie?

'De revolutie kan rekenen op honderdduizenden. En Lian? Haar ouders moeten werken. Ze maken zich ook zorgen. Als jij bij haar blijft, maak je vele harten lichter. Ook het mijne. Ons protest mag geen mensenlevens kosten, ook niet buiten het plein.'

Als je het zo bekijkt. Ik kus hem en hij streelt over mijn hoofd, waar mijn haar zoals gras in het voorjaar pril maar dapper opnieuw begint te groeien. Het is niet alleen de lente van Beijing, denk ik, het is ook mijn lente.

***

De volgende dag, op 27 april, terwijl honderdvijftigduizend studenten, nog eens toegejuicht door een half miljoen burgers, de barricaden doorbreken die op Dengs bevel door de politie waren opgeworpen, breken Lians vliezen. Het oproer in de stad is tot in huis te horen, zonder dat we weten wat er precies aan de hand is. We maken ons grote zorgen, spitsen de oren of er ook geschoten wordt, of er sirenes klinken. Misschien is de spanning Lian te veel geworden? Ik hoor haar roepen vanuit de badkamer en snel naar haar toe. Compleet ontredderd wijst ze naar de plas op de vloer. Mijn eerste gedachte, Kun te gaan zoeken, laat ik vrijwel meteen varen. Het is onbegonnen werk. Eén blik naar buiten leert me dat de straten uitpuilen van het volk. We moeten een ziekenwagen bellen.

Ik haast me terug naar de badkamer, gebaar naar Lian dat ze de plas water moet laten voor wat hij is en met me mee moet komen. Ik duw de hoorn van de telefoon in haar handen. Gelukkig is zij of Kun zo vooruitziend geweest een briefje met het nummer van het ziekenhuis naast het toestel te leggen. Het is het ziekenhuis waar ze werkt, maar een ander nummer dan als ze haar chef ergens voor moet bellen. Haar vingers trillen. Als er wordt opgenomen, trilt ook haar stem. Het antwoord van de telefoniste kan ik niet verstaan, maar Lians gezicht spreekt boekdelen. Het trekt witter en witter weg, alsof na het vruchtwater ook het bloed uit haar is weggelopen. Zonder verder nog iets te zeggen haakt ze in. De angst heeft haar ogen zo groot gemaakt als een mond die zich openspert voor een schreeuw.

'Ze houden de ziekenwagens liever stand-by voor het geval het tot bloedvergieten zou komen. Het verkeer zit bovendien vast. Ze betwijfelen zelfs dat ze erdoor kunnen. De stad is een en al chaos. Mensen, versperringen, in brand gestoken autobanden ... Wat moeten we doen, Huan?'

Je ouders, buren?

'Die zijn allemaal op hun werk, hoewel, met de betoging ... maar alleszins niet thuis.'

Jij blijft hier. Ik spring op mijn fiets en ga naar mijn vader. In het park moet iemand zijn die een dienstwagen heeft. Die moet dan maar claxonneren tot ze hem doorlaten.

Lian schudt verwoed van nee. Het volgende moment krimpt ze in elkaar. Met twee handen grijpt ze naar haar buik.

'Het is begonnen', fluistert ze.

Een wee?

'Ga niet weg, Huan. Laat me niet alleen.'

Ze klampt zich aan me vast. Ik ben zelf zo bang dat ik haar een klap zou kunnen geven. Ik had nooit naar haar mogen luisteren en met Kun moeten praten. Nu is het te laat. Als ik haar vertrokken gezichtje zie, krijg ik evenwel met haar te doen. Ik streel even over haar wang. Intussen denk ik razend hard na.

Heb je een telefoonboek?

Ze geeft het me en ik begin als een gek te zoeken naar het nummer van de universiteit. Misschien is daar toch iemand ondanks de boycot. Een prof geneeskunde zou ideaal zijn, maar dat is wellicht te veel gevraagd.

Bellen, gebaar ik. Ze beeft zo hard dat ik het maar overneem en zelf de toetsen indruk. De bel gaat eindeloos over voor er wordt opgenomen. Een vrouwenstem. Ik duw Lian de hoorn weer in handen, maar halverwege haar verhaal wordt ze opnieuw door een wee overvallen. Ze laat de hoorn vallen. Ik hoor de vrouw aan de andere kant roepen. 'Hallo, hallo? Is daar iemand? Bent u daar nog?' Zo meteen hangt ze op. Ik kan geen kind op de wereld zetten! Ik grijp de hoorn. Dan hoor ik mezelf schreeuwen, het rauwste, lelijkste geluid dat ooit uit de keel van een mens gekomen is, als een vuile, vieze prop die jarenlang een wond heeft afgedicht en waarachter de woorden nu vol bloed en etter naar buiten stromen.

De telefoniste belooft dat ze zal doen wat ze kan. Ze noteert het adres. Op de achtergrond klinken schoten.

'Blijf vooral kalm', zegt ze. 'En zorg ervoor dat je handdoeken en kokend water bij de hand hebt.'

Ze haakt in. Lian – met haar handen nog steeds aan haar buik – staart me onthutst aan.

'Je praat!'

Vertwijfeld, bijna nog meer in paniek dan door de situatie, schud ik het hoofd. Dit is geen praten. Eén keer en nooit meer.

'Het is geweldig, Huan! Sheng-Du zal zo blij zijn. En Kun. En je vader en Shu ...'

Nee, nee verdomme! Hou toch op!

De stomme koe begrijpt het niet. Nog even en ik krab de opwinding van haar gezicht. Een nieuwe wee is me voor en ik help haar naar de bank. Daarna loop ik terug en maak een doekje nat onder koud water om haar voorhoofd mee te deppen. Het is nat van het zweet. Ik zet een ketel water op en pak schone handdoeken uit de badkamer. Als ik niets meer kan doen, moet ik wel terug naar Lian. Ze grijpt mijn hand vast en knijpt erin.

'Je moet tegen me praten, Huan, of ik word gek.'

Ik kan niet. Het spijt me.

'Je liegt! Wat doe je dan hier? Ik had met Kun mee moeten gaan. Ik wil dat hij komt.'

Ze draait haar gezicht naar de muur opdat ik niet zou zien dat ze huilt. Ik streel over haar haren. Als ik fluister, klinkt het misschien iets minder afschuwelijk.

'Het komt wel goed, Lian.'

'Ja. Het spijt me dat ik tegen je schold. Ik ben dom en laf.'

'Welnee! Alleen maar bang. Maar probeer nu rustig te blijven. Dat is beter voor de baby.'

Ze knikt, met witte opeengeperste lippen. De weeën komen vlugger na elkaar. De tijd gaat tegelijk traag en snel. Buiten duurt het kabaal onverminderd voort. Er wordt nog steeds af en toe geschoten. Als ik opsta en naar het raam loop om te kijken, is de straat één deinende mensenzee. Daar komt geen auto doorheen. Dat zeg ik maar niet tegen Lian. Ik kruis mijn vingers.

Ruim drie kwartier later wordt er aangebeld. Van opluchting begin ik te beven. Ik weet nauwelijks hoe ik beneden kom. De bezwete man op de stoep, van middelbare leeftijd, stelt zich voor als dokter Wong, laborant. Terwijl hij achter me aan de trap oploopt, zegt hij dat we geluk hebben gehad. Twee minuten later en hij was weg geweest. Hij was alleen op de universiteit omdat hij een interessante kweek had die hij wilde opvolgen. De telefoniste had al overal rondgebeld, iedereen was op het plein. De collegeboycot is algemeen, hoewel de regering geëist heeft dat hij beëindigd wordt, in ruil voor het gevraagde gesprek, maar op die voorwaarde is niet ingegaan. Eerst het gesprek.

'Het laatste wat ik gehoord heb,' hijgt hij, 'is dat er een officiële Autonome Studentenfederatie is opgericht. Maar wat zeg ik toch allemaal, jullie hebben andere zorgen aan je hoofd. Geen paniek!'

Voor een laborant klinkt hij wel heel zelfverzekerd. Binnen begroet hij Lian met een opgewekt 'Hallo, mevrouwtje', en rolt hij gelijk zijn hemdsmouwen op. Bij het zien van wat ik heb klaargezet, gromt hij goedkeurend. Uit zijn tas pakt hij een flesje ontsmettingsalcohol en een rolletje watten. Hij wast zijn handen en ontsmet de schaar. Intussen praat hij op geruststellende toon tegen Lian. 'Hoe ver ben je? Een prematuurtje dus. Maak je maar geen zorgen, moedertje. Je zult zien hoe snel hij groeit.'

Ik ben blij dat ik weer mag zwijgen. Het geluid van mijn stem zou me van bij mezelf doen weglopen.

Dokter Wong onderzoekt Lian. Ze heeft inmiddels negen centimeter ontsluiting. Hij kan het hoofdje zien. Nog even en ze mag beginnen te persen. Nu even rustig ademen en bij de volgende wee puffen.

'Je doet het prima', bemoedigt hij haar.

Lian glimlacht flauwtjes.

'Geloof je me niet? Ik kan het nochtans weten. Ik heb mijn vrouw helpen bevallen. Van een tweeling nog wel. Kom meisje, persen maar. Met je buik, niet met je hoofd.'

Ik geef haar mijn hand om in te knijpen, maar misschien heb ik wel evenveel houvast nodig als zij. Ik mag er niet aan denken hoe we het zonder dokter Wong hadden moeten redden. Even schroeft dezelfde paniek als toen met Tao mijn keel dicht. Laat het deze keer goed aflopen. Alsjeblieft!

Na een paar keer persen floept het hoofdje naar buiten, en dan nog twee keer voor de schoudertjes. De rest gaat vanzelf. Ik vergeet dat ik wilde zwijgen. Het gaat vanzelf, alsof iemand de geluidknop bij mijn gedachten weer heeft aangezet.

'Je hebt een dochter, Lian!'

Tersluiks kijk ik naar haar gezicht om te zien of ze niet teleurgesteld is, maar ze straalt.

'Kun zal zo trots zijn!'

De dokter legt de baby op haar buik. Die zit nog onder het bloed en de smeer, maar wat heeft ze perfecte dunne vingertjes en teentjes en minuscule witte stipjes op een dotje van een neus. En veel zwart haar. En een klok van een stem.

'Het is een kleintje, maar ze lijkt me flink en volkomen gezond', zegt dokter Wong. 'We moeten haar alleen goed warm houden.'

Mij lijkt het dat vooral Lian een paar dekens nodig heeft. Ze rilt en klappertandt. Ik duffel haar en de baby stevig in. Er glanst een traan in haar ooghoek.

'Limei', fluistert ze, terwijl ze met een vlindervinger over het weke schedeltje streelt. 'Limei, mijn kleine klaproos. Dank je wel, Huan. Duizend keer duizend keer dank je wel. En u ook, dokter Wong.'

De laborant glimlacht, een beetje beverig valt me op, en vraagt of er koffie in huis is, al zou een borrel nog beter zijn. Die tweeling van hem, dat was vijfentwintig jaar geleden en toen moest hij alleen, op aanwijzing van de vroedvrouw, de navelstreng doorknippen. Hij lacht en Lian lacht, terwijl ik me naar de keuken rep. Met het pruttelend doorlopen van de koffie komen ook de tranen. Ik huil zoals ik nooit gehuild heb, zelfs niet met Tao. Alsof mijn verdriet ook een kind is dat ik op de wereld moet zetten. Het is alsof ik het voor me zie: een meisje van twaalf, met een dikke, glanzende vlecht waarin haar moeder een rode bloem heeft gestoken. Het meisje kijkt me tegelijk een beetje angstig en hoopvol aan, tersluiks, van achter neergeslagen schuldbewuste ogen. Ik kniel naast haar neer en neem haar handjes in de mijne. 'Je hoeft niet bang te zijn, liefje', zeg ik zo zacht als ik kan. 'Ik ben niet meer boos op je. Ik hou van je.' Daarna trek ik haar heel dicht tegen me aan en ik verzeker haar, ook duizend keer duizend keer, dat ik haar nooit meer zal achterlaten.

❦❦❦

Mijn vader kan zijn tranen niet bedwingen.

'Je kunt praten, Huan', stamelt hij steeds weer. 'Je praat weer ...'

Nu ik aan de achterkant van zijn ontroering de pijn van al die jaren zie, hoe diep ze aan hem gevreten heeft, besef ik hoe fout het was om te zwijgen. Hij en mama, en niet de mensen die Tao in de steek hebben gelaten, hebben door mijn koppigheid geboet. En dan zou ik ondanks mijn belofte bijna toch weer kwaad geworden zijn op die kleine Huan, als ik niet net op tijd begrepen had dat ze op twaalf jaar niet alles kon weten en alleen goed wilde doen. En anders heft mijn vader wel een kijvende vinger tegen me op. Hij wil van geen excuus horen en vergiffenis kan hij me niet geven omdat er eenvoudigweg niets te vergeven valt.

'Laat dit een blije dag zijn,' pleit hij, 'zonder enige schaduw. Je hebt overleefd op jouw manier, zoals mama en ik geprobeerd hebben dat op de onze te doen. Als je nu weer praat, wil dat zeggen dat je sterker geworden bent.'

'Ik weet niet of ik sterker ben. Het antwoord is veel simpeler: mijn ogen zijn opengegaan en dat werd tijd. Er mocht niet opnieuw iemand doodgaan en dat zou bijna zeker gebeurd zijn als ik had gezwegen. Angst voor een nee mocht geen rol spelen. Het enige waar iemand bang voor moet zijn, is om het niet geprobeerd te hebben. Ik móést.'

Mijn vader knikt instemmend.

'Maar geprobeerd heb je het toen met Tao ook, Huan.'

'En daarna zes jaar niet meer.'

'Echt niet?' Hij houdt zijn hoofd schuin en doet of hij nadenkt, met zijn wijsvinger tegen zijn kin.'Vreemd. Ik dacht toch dat wij behoorlijk pittige discussies hadden. Ik heb je nog een keer bij je oor moeten trekken, of weet je dat niet meer?' Hij glimlacht fijntjes en staat op om nog eens met de pot thee rond te gaan. Bij Sheng-Du, die met me mee naar huis gekomen is, legt hij een hand op zijn schouder. 'Ik waarschuw je, jongen', zegt hij tegen hem. 'Mijn zoon was een draak en als die iets in zijn hoofd had, had hij het om zo te zeggen niet in zijn staart. Maar zij daar, mijn dochter. Zij telt voor twee.'

Sheng-Du knipoogt naar me. Hij ziet er moe uit, vuil en bleek, met randen onder zijn ogen. Hij is onmiskenbaar toe aan een lang bad.

'We zijn allemaal ongelooflijk trots op je', zegt hij.

'Ach. Jullie liepen honderdduizend keer meer gevaar dan ik.'

'Dat wel, maar we waren ook met een paar honderdduizend om elkaar te steunen. Jij stond er alleen voor.'

'Tot de dokter kwam. Dat is wat ik wil worden, ik weet het nu heel zeker.'

'Dan is het toch goed dat ik je toen bij je oor getrokken heb', lacht papa.

'Wat is dat toch allemaal, met dat oor?' vraagt Sheng-Du.

'Dat vertel ik later weleens.'

'Ze wilde niet meer naar school', zegt papa. 'Ze wilde liever op het rijstveld werken.'

'Het was thuis.'

'En Beijing?' vraagt Sheng-Du.

'Mensen maken je thuis, geen muren met een dak erop.'

Toch voel ik mijn wortels trekken. Het lijkt onwaarschijnlijk, maar ik mis de modder. We zullen wel zien.

We drinken thee en kijken door het open raam naar de sterren. De nacht is stil, het vuren gestaakt. We weten niet voor hoelang. Soms zeggen we iets over de opstand. Over onze hoop en de nieuwe wereld.

Over mama, die nu bij ons had moeten zijn, maar meer nodig was bij Tao, aan de Overkant. En dat hun zielen over ons waken. Papa is ervan overtuigd dat zij dokter Wong hebben gestuurd. Ik weet het niet, maar waarom zou ik hem dat houvast ontnemen? Ik wil liever leren te vertrouwen op de levenden en niet bang te zijn.

We maken het niet te laat. De spanning heeft zijn tol geëist en ook voor papa is het morgen vroeg dag. Hij zou liever bij ons zijn op het plein, maar daarvan kopen we straks geen rijst en cursussen.

'Jij werkt voor mijn vrijheid, papa', troost ik hem.

'Voor de toekomst, Huan.'

Ik zie een kleine Limei in zijn ogen blinken en lach naar hem. Die dag komt heus wel.

Vanavond slaap ik bij Sheng-Du. Met de ploeg hebben we een beurtrol afgesproken om op het plein te blijven. De bezetting kan nog weken duren. We moeten fit zijn tot de laatste dag. Vannacht blijven Shu en Bai, Yin en Manchu op post. Kun heeft met eenparigheid van stemmen verbod gekregen. Zijn plaats is nu thuis en dat geldt minstens voor de rest van de week. We hoefden niet echt aan te dringen, als we hem maar op de hoogte houden.

Ik lig in de arm van Sheng-Du en fluister zijn naam. Het klinkt al veel minder scherp.

'Scherp?' vraagt hij, als ik er iets over zeg. 'Wat zeg je nu toch, Huan? Je was mijn papieren stem en nu ben je ook mijn nachtegaal.'

Het vogelmeisje, denk ik. Dan toch, na al die jaren.

De volgende dag begint hoopvol met een bijeenkomst van onze voorzitter, Wu'er Kaixi, met de onderminister van onderwijs. Helaas is de vreugde van korte duur. De regering weigert de Studentenfederatie te erkennen. Wu'er voelt zich genomen en loopt woedend uit de vergadering weg. Maar hij is niet de enige, wij voelen ons allemaal belazerd. April loopt op zijn eind en we zijn nog geen stap verder, toch is dat veeleer olie dan water op het vuur. We zullen doorgaan. Het verzet groeit met de dag. Niet alleen in Beijing, in alle grote steden schaart de meerderheid van de burgers zich achter ons. De dag dat de regering onder de druk zal bezwijken, kan niet meer veraf zijn. Elke kop op het plein telt, meer dan ooit.

Toch glip ik elke dag een uurtje weg om bij Lian en de baby te zijn. Limei doet het prima. Ze zuigt goed. Als ze zo doorgaat, zal ze snel op gewicht zitten. Kun weet niet hoe hij me zijn dankbaarheid moet tonen, maar dat hoeft niet, het was mijn beurt om goed te zijn. Toch overlaadt hij me met perziken en mandarijnen en volgende week, als Lian is aangesterkt, wil hij absoluut een avond voor mij en Sheng-Du koken. Tegensputteren is verboden. Als ik aanhaal dat ik degene ben die dankbaar moet zijn, omdat ik zonder Limei mijn stem niet had teruggekregen, wuift hij dat weg.

'Je was er klaar voor, Huan. Je had alleen een laatste duwtje nodig. Ik ben blij dat wij dat mochten zijn.'

Ik pak de kop thee aan die hij me aanreikt en glimlach naar hem.

'Onze klas van vroeger moest het weten', mijmer ik hardop.

'Waarom?'

'Ze hebben je veel tekortgedaan. Ik ook.'

Hij haalt de schouders even op.

'Ze deden wat ik wilde dat ze deden, Huan. Mijn ouders moesten in alle veiligheid hun werk kunnen doen. Het was mijn manier om te zwijgen en hen en mezelf te beschermen. Jij en ik, we verschillen niet zoveel. Ik moet je overigens de groeten van mama en papa overbrengen en zeggen dat ze voor altijd bij je in het krijt staan. Echt, Huan, alles is gelopen zoals het moest. Ik heb Lian en nu de baby. Ik heb vrienden, mensen die me respecteren en met wie ik eindelijk open op één lijn kan zitten. Ik heb werk dat ik met hart en ziel doe. En straks hebben we een vrij land.'

Limei begint te huilen. Hij staat op om haar uit de wieg te nemen en aan haar moeder te geven, die haar aan de borst legt. Meteen houdt het huilen op en klinken er tevreden zuiggeluidjes. Na de voeding en het boertje pak ik haar over en valt ze in mijn armen in slaap. Haar leven is veilig en onbevangen.

Soms kan ik niet naar het plein, omdat ik mijn baantje bij McDonald's niet wil verliezen. Zonder dat extra geld komen we er niet. Even heb ik overwogen daar gewoon te blijven zwijgen, maar vroeg of laat zou ik toch door de mand vallen. Het is verbazend hoe vlug spreken weer iets vanzelfsprekends is geworden. Ze maken er niet veel drukte rond. De meisjes blijven naast me werken met hun walkman op, zij in hun wereld en ik in de mijne. Met de opstand zijn ze ook amper bezig. Dong daarentegen is sinds het uitbreken van de revolutie niet meer komen opdagen. Ik veronderstel dat hij op Tiananmen zit. Hij is vervangen door een ongetrouwde moeder die zich als een mol door de dagen wroet. Zij werkt zeven op zeven en tien uur per dag. Ze ziet eruit of ze elk moment kan instorten, maar ze stort niet in, haar kind van vijf is de ruggengraat waaraan ze haar slappe huid ophangt. Mijn baas maakt het allemaal niets uit, zolang het werk maar gedaan is. Hij is ook niet voor of tegen de revolutie. Wat telt is het zakencijfer en of hij over een half jaar een auto kan kopen. De vrouw is blij als ze op het einde van de maand nog rijst kan kopen. Ze is boos. Op de mannen en op de wereld. Ze is ook boos op mij, om de kansen die ik heb en zij niet. 'Revolutie? Mijn reet', zegt ze. 'Alsof jullie het beter zullen doen. Veel mooie woorden, maar als je straks aan de macht bent, stink je ook uit je bek.'

❖❖❖

De enige aan de top die ons nu nog kan helpen, is partijleider Zha Ziyang. Hij lijkt voor rede vatbaar en is niet machtsgeil zoals de rest. In elk geval heeft hij zich tot nu toe neutraal opgesteld en dat is beter dan niets. Begin mei pleit hij zelfs voor politieke stabiliteit. Hij noemt onze eisen rechtvaardig en dringt er bij zijn collega's op aan de problemen op een democratische en wettelijke manier op te lossen. Wij zijn opgetogen, maar bij Deng en Li Peng zetten zijn woorden kwaad bloed. Omdat we vrezen dat ze het hier niet bij zullen laten, spreken we af de druk op de ketel nog te verhogen. We moeten ervan profiteren dat ze verdeeld zijn en dat wijzelf elke dag aan aanhang winnen. Journalisten en studenten in andere steden scharen zich massaal achter onze eisen en over een week komt de Russische president Gorbatsjov op staatsbezoek. De ogen van de wereld zullen op ons gericht zijn. We rekenen erop dat dat voor Deng en Li Peng redenen genoeg zijn om Zhao Ziyang niet te doen verdwijnen. Als dat gebeurt, barst de bom. Dat zouden ze moeten weten.

Ondanks de kritieke toestand wil Kun het geplande feestje niet uitstellen. De voorbije dagen zijn er steeds meer stemmen opgegaan voor een hongerstaking. 'Misschien wordt het wel ons galgenmaal', grapt hij. Hij staat erop dat de hele donderdagavondgroep komt en daar hoort Shu, als vriendin en rechterhand van Bai, nu ook bij. Bezwaren dat het te vermoeiend is voor Lian wuift hij weg. Hij kan ook koken, reken maar! Mijn aanbod te komen helpen neemt hij wel met twee handen aan.

Het wordt een gezellige avond, met een absoluut verbod om over politiek te praten. Wie het toch doet, zo wordt afgesproken, moet straks afwassen, wat we sowieso zullen doen. Een paar uur lang zijn we gewoon vrienden die praten over de kleine en grotere dingen waar je in vredestijd over praat. We luisteren naar muziek in plaats van naar nieuws of geweerschoten. Limei laat zich gewillig van arm naar arm verhuizen. Ze heeft een vuile luier en ik vraag of ik haar mag verschonen. Lian lacht. Sheng-Du lacht. Gisteren hebben hij en ik net voor sluitingstijd een kruippakje voor Limei gekocht. Een halfuurtje stond de wereld stil, waren we gewoon een verliefd stel zoals er miljoenen op de wereld zijn. We liepen hand in hand en spraken over later.

We zijn met ons vieren overgebleven. Shu, Bai, Manchu en Yin zijn na de afwas naar huis of naar het plein gegaan. Limei, die haar huiluurtje heeft gehad, is uiteindelijk toch in slaap gevallen en maakt af en toe vertederende geluidjes. We drinken een laatste glas. Iedereen zit met morgen in zijn hoofd, maar niemand wil dat woord in de mond nemen om de vreedzaamheid van dit moment niet te verstoren. We zitten hand in hand. Kun en Lian, Sheng-Du en ik. Het geluk schroeft mijn keel dicht. Sheng-Du, die denkt dat ik verdrietig ben, schrikt, maar ik schud het hoofd en glimlach, glimlach.

'Dan is het goed', zegt hij.

En hij blaast zachtjes door mijn haar, dat elke dag een beetje langer wordt.

Sheng-Du vindt een hongerstaking geen goed idee, omdat het ons zowel lichamelijk als mentaal zal verzwakken, maar als de meerderheid zo beslist, is hij solidair. We beginnen op 13 mei met tweehonderd mensen, in de loop van de volgende dagen groeit dat aantal aan tot drieduizend. We krijgen de hulp van artsen en wetenschappers, onder wie dokter Wong. Hij is het met Sheng-Du eens, precies daarom is hij gekomen, om de schade te beperken. Opnieuw sluiten ambtenaren, journalisten, leerkrachten, arbeiders en scholieren zich bij ons aan. Als het zo verder gaat, ligt straks het halve land plat. Enkele bedrijven hebben de deuren al moeten sluiten bij gebrek aan personeel. Mijn vader en de ouders van Lian zijn ook naar Tiananmen afgezakt. Zelfs de moeder van Kun is uit het dorp overgekomen, al is dat vooral om haar kleindochter te zien. Onze stem heeft weerklank gekregen tot in de verste uithoeken van het land, van Shanghai tot Mongolië, en uit Hongkong zijn extra tenten aangekomen voor wie op het plein wil blijven slapen. Eigenlijk gaat het prima. Alleen de verhoopte ontmoeting met de Russische president Gorbatsjov wordt door de regering verijdeld, als ze op de valreep het programma van het staatsbezoek compleet omgooien. Jammer, maar het is ook een overwinning. Het manoeuvre bewijst dat ze zo bang voor ons zijn dat ze liever voor de hele westerse wereld op hun bek gaan. En als het niet uit angst is, dan liegen ze, want het gaat niet samen: die enorme maatregelen voor 'wat bendevorming van een handvol studenten'. In die geringschattende termen wordt in de krant over ons protest geschreven. Zhao Ziyang vraagt tevergeefs om een rechtzetting. Hij doet wat hij kan, maar zijn macht taant. Een luis in de pels van een roofdier blijft maar een luis.

We hebben ook onze dips. De honger begint te knagen, we hebben bonkende hoofdpijn en als we te snel opstaan, wordt het zwart voor onze ogen. Vooral de vermoeidheid verplettert ons. Shu, die al erg mager was, is al twee keer flauwgevallen. Haar hartslag en bloeddruk zijn gevaarlijk gezakt en ze moet van dokter Wong onmiddellijk met de hongerstaking stoppen. Ze is kwaad, op hem, op zichzelf. Ontgoocheld. Ze huilt en vloekt. We moeten met ons allen op haar inpraten of ze ging toch door.

'Ik vind dat we er beter allemaal mee zouden ophouden', zegt Sheng-Du. 'Jullie geloven toch niet echt dat een hongerstaking indruk op hen maakt? We kunnen weigeren te eten tot we doodvallen. Dat bespaart hun alleen de moeite ons in gevangenissen te laten rotten of ons meteen te laten verdwijnen.'

Anderen schermen met de pers, het buitenland. Zij zullen Deng onder druk zetten. Daar lacht Sheng-Du mee. De censuur zal er meer dan één stok voor steken. En wat toch lekt, zal door de wereld afgewogen worden op de schaal van politieke en economische belangen.

Als het de stabiliteit kan bewaren, zullen ze ons zonder gewetenswroeging aan de leeuwen geven. We dreigen verdeeld te raken. Dat is het laatste wat mag gebeuren. Bai probeert de gemoederen te sussen.

'We eisen persvrijheid en democratie', zegt hij. 'Moeten we dan niet beginnen met ieders mening te respecteren?'

Hij heeft gelijk. Sheng-Du biedt zijn excuses aan. Hij wrijft door zijn ogen, die bloeddoorlopen zijn. Hij heeft al nachten niet geslapen.

'Oké. Sorry. Dat ieder doet wat hem goeddunkt', zegt hij. 'Ik stop in elk geval. En wat doe jij, Huan? Als jij vindt dat je moet doorgaan ...'

'Nee, ik stop ook. We kunnen beter sterk en alert blijven.'

Bai en Manchu willen doorgaan. Als een statement. Mijn vrijheid is me liever dan mijn leven. Voor zichzelf zou Kun zich bij hen willen aansluiten, maar hij is ook een echtgenoot en een vader. Hij heeft Lian moeten beloven geen onnodige risico's te lopen. Yin stopt ook. Straks is ze arts.

'Ik moet met gezondheid bezig zijn', zegt ze. 'Maar ik veroordeel niemand. Iedere vogel zingt zoals hij gebekt is, zolang we het er maar over eens zijn dat we moeten zingen.'

Gelijksoortige discussies doen zich overal op het plein voor, maar uiteindelijk sluiten we de rangen. We hebben voor een vreedzaam protest gekozen en dat moet zo blijven, over de hele lijn.

***

Op 17 mei demonstreren we voor de eerste keer met één miljoen mensen en bezwijkt premier Li Peng eindelijk onder de druk. Hij stemt toe in een ontmoeting met een aantal van onze leiders. Meer zelfs, het gesprek zal op tv worden uitgezonden. Onze verwachtingen zijn hooggespannen, maar snel blijkt dat we eens te meer te vroeg hebben gejuicht. Li Peng veegt onze eisen zonder meer van tafel en het gesprek wordt afgebroken voor het goed en wel begonnen is. 'Jullie zijn te ver gegaan,' briest hij, 'iets anders heb ik jullie niet te zeggen. Laat het duidelijk zijn.' Aansluitend kondigt Deng de staat van beleg af, al stemt Zhao Ziyang tegen. Als hij zijn ontslag aanbiedt om de eer aan zichzelf te houden, wordt dat om onbegrijpelijke redenen geweigerd. De volgende dag wordt de stad door een kwart miljoen soldaten omsingeld. Als terzelfder tijd de krijgswet wordt afgekondigd, beëindigen de meesten van ons hun hongerstaking. We hopen nog steeds dat Deng niet zo ver zal durven gaan, maar als het toch tot een treffen komt, moeten we ons kunnen weren. Op de vlucht jaagt hij ons niet. Nooit. Ook wij worden harder.

In de fabrieken gaan de arbeiders massaal in staking, niet alleen in Beijing, ook elders in het land. We zijn intussen met miljoenen. Grote groepen burgers en boeren sluiten zich bij ons aan en werpen barricaden van prikkeldraad, brandende autobanden, omgegooide auto's en bussen op tegen de soldaten in een poging hen uit het stadscentrum te houden. Die voertuigen hebben ze in beslag genomen of er 's nachts de banden van lek gestoken. Echt gelukkig zijn we daar niet mee. We staan nog steeds voor een geweldloze oplossing, maar we hebben het niet langer in de hand. En, eerlijk is eerlijk, we willen straks ook niet afgeslacht worden als het toch zou ontploffen, en dan zijn onze handen net zo vuil.

Er kan geen verkeer meer door, behalve fietsen. Dat werpt een onnatuurlijke stilte over het plein, net zo zwaar en benauwend als het gele stof van de Gobiwoestijn dat door de wind wordt aangevoerd. Het is heet, meer dan dertig graden Celsius.

Na een nacht waarin we maar een paar uur hebben kunnen slapen, staan Sheng-Du en ik op om onze stramme spieren te strekken en ergens op een rustiger plekje aan tai chi te doen. Het is nog vroeg. De dageraad kleurt rozig door de smog die over de stad hangt. Het is vreemd een vogel te horen zingen, bijna hallucinant, alsof er geen oorlog dreigt. Met verstrengelde vingers en een stille glimlach blijven we luisteren. Later tilt Sheng-Du mijn gezicht naar hem op.

'Als dit alles voorbij is, wil ik een paar dagen met jou naar je dorp gaan,' zegt hij, 'waar het stil en groen is. Ik wil je voetafdrukken vinden van toen je een klein meisje was.'

Zijn woorden jagen het heimwee naar mijn ogen. Hij geeft me een knuffel.

'Het is goed, Huan. Alles komt goed.'

We slenteren terug richting plein, onze ogen en oren open voor nieuws en mogelijke tekenen van onraad. Het lijkt nog steeds kalm, maar zoals voor een onweer, een broeierige kalmte voor het losbarst. Een bedelaar klampt ons aan voor een aalmoes. Ik geef hem een van de broodjes die we gekocht hebben met mijn laatste geld. Vrijdag en zaterdag moet ik maar weer een paar uur gaan afwassen. Hier en daar haast iemand zich naar kantoor. Sommigen steken ons een hart onder de riem, anderen schelden op ons omdat er geen bussen rijden.

'Egoïst!' roep ik.

Even duwt de angel van het oude zeer zich weer dieper in mijn hart.

'Verspil geen energie aan hen', zegt Sheng-Du. 'Ze houden te veel van hun gemak om hun een geweten te kunnen schoppen.'

Hij klinkt veeleer triest en gelaten dan boos. Eén moment voel ik me ook door hem niet begrepen en in de steek gelaten, maar dat zou niet eerlijk zijn. Ik ga op mijn tenen staan en kus de zwarte randen onder zijn ogen.

Ondanks de bezetting proberen we ons dagelijks leven zo goed en zo kwaad mogelijk te organiseren. We wisselen elkaar af om ons thuis te gaan wassen of een snelle warme hap te koken. Naarmate de dagen vorderen, zie je ook steeds meer gasstellen op het plein verschijnen. Er worden kookgroepen gevormd, nieuwe vriendschappen gesmeed. Mensen die tot voor kort nog thuis gingen slapen, volgen ons voorbeeld en slepen tenten en slaapzakken aan. Her en der zijn verzorgingsposten van artsen en verpleegkundigen. Yin heeft zich bij een ervan aangeboden. Daar kan ze iets doen. Iets anders dan wachten en hopen en twijfelen en hopen. Op die posten kun je ook drinkbaar water krijgen, maar we moeten zuinig zijn.

Op een dag, als ik met een jerrycan water op de terugweg ben, bots ik op Dong. Hij zegt dat hij en een vriend, die radioamateur is, erin geslaagd zijn een boodschap de ether in te sturen. Het lukt maar af en toe. Een enkele keer vangen ze ook flarden van een westerse zender op. Het buitenland hengelt naar het kleinste bericht.

'Ze staan aan onze kant, Huan', zegt hij. Hij is razend enthousiast en heel zelfverzekerd. 'Deng zal niets durven doen. Wij gaan dit hier winnen!'

Ik neem zijn woorden mee om de rest op te peppen. Soms geloven we erin, maar op andere momenten pakken we elkaar vast alsof elk uur ons laatste kan zijn. 's Nachts liggen Sheng-Du en ik als lepeltjes onder mijn lappendeken. De ene hoort hoe de ander wakker ligt. We strelen elkaar in slaap en soms bedrijven we de liefde, ingehouden om de anderen, als ze al kunnen slapen, niet te wekken.

Overdag worden het wachten en het nietsdoen steeds zwaarder. Sommigen proberen te studeren, anderen spelen kaart of schaken. Ik ben begonnen aan een winterjasje voor Limei, maar het is te warm om te breien. Shu en ik wisselen elkaar af om voor onze groep te koken. Het is beredderen. Elke dag wordt het moeilijker om aan verse groenten te komen. Veel winkels zijn gesloten en boeren van buiten de stad botsen op de barricaden en de soldaten, of ze vinden het te gevaarlijk en komen gewoon niet. Soms hebben we een pauze nodig en praten we over andere dingen. Papa, die 's avonds en in het weekend bij ons is, en ik halen herinneringen op. Aan mama en Tao. Aan het dorp. Het lijkt een leven geleden. Ik heb hem verteld wat Sheng-Du me beloofd heeft. En dat ik dan voor de graven zal zorgen en voor hun geesten, die dit jaar tevergeefs op ons hebben gewacht.

Sheng-Du zit erbij en luistert met een warme glimlach op zijn gezicht, waaruit de spanning even geweken is. Hij streelt over mijn haar en zegt dat het alweer gegroeid is in vergelijking met gisteren.

'Dat zal wel!' lach ik.

Hij meent het. Het is zoals met zijn baard. 'Voel maar!' Hij wrijft zijn kin tegen mijn wang.

Zo vaak mogelijk spring ik even bij Lian binnen, die klaagt dat ze gek wordt tussen vier muren. Kun vindt het te gevaarlijk om met de baby naar buiten te gaan. Limei huilt vaak. Het is bloedheet in huis. Als ik er ben, blijf ik bij haar, zodat Lian even het huis uit kan, al was het maar voor wat boodschappen. Ik geniet van die momenten alleen met Limei. Soms ben ik ongeduldig om zelf ook een kind te hebben, maar ik wil ook mijn diploma behalen. Het ene lijkt net zo ver weg als het andere. Wat zal er gebeuren met dit academiejaar? Door de boycot zijn er geen lessen gegeven en niemand weet hoe het zit met de examens ...

Maar zelden sijpelt er nieuws door uit andere steden. Dat is oud zeer. De media staan onder zware druk van de regering. Het kleinste bericht doorbreekt voor even het wachten, het nietsdoen. We stellen opnieuw muurbrieven op, die Kun in de universiteit drukt en die onze ploegen aanplakken en uitdelen. Iemand weet te vertellen dat de satellietverbindingen met het westen tot tweemaal toe gesaboteerd werden. Deze keer lijkt het definitief. Het is een opdoffer, maar tegelijk olie op het vuur om onze eis voor persvrijheid nog meer kracht bij te zetten. Hoe dan ook, Deng en zijn aanhangers krijgen hun net nooit volledig waterdicht. In Shanghai hebben ze met lede ogen moeten aanzien hoe Gorbatsjov door vierhonderdduizend betogers werd opgewacht. En in Canada en de Verenigde Staten heeft de voorzitter van ons eigenste Nationaal Volkscongres zich openlijk tegen Deng gekeerd en ons alle steun toegezegd. Is het westen dan toch wakker geschud? Zijn hun ogen echt opengegaan? We moeten geloven dat ze ons niet in de steek zullen laten. Het is nog maar een kwestie van dagen en dan gaan Deng en Li Peng door hun knieën.

Mijn vader is een stuk voorzichtiger in zijn verwachtingen. Zijn jaren en de bedrogen illusies hebben hem argwanend gemaakt.

'Een in het nauw gedreven dier is gevaarlijk', zegt hij. 'Ik vertrouw hen niet.'

Ik probeer hem, maar ook mezelf gerust te stellen.

'We zijn in de meerderheid, papa. Een heel volk tegen een handvol machtsgeile dwazen!'

'Je vergeet het leger, de politie. Zij hebben wapens.'

Ik kijk naar Sheng-Du in de hoop op wat steun.

'Als de partijtop valt en de macht keert, zal het leger onze kant kiezen', zegt hij. 'Althans, dat denk ik. Hoop ik.'

'Niet meer?'

'Als hoop geloof wordt, kan het bergen verzetten.'

❖❖❖

Al te snel lijkt papa gelijk te krijgen. De sfeer wordt grimmiger met het uur. Voor sommigen begint het te lang te duren, ze verliezen de moed of worden bang en haken af. Zelfs Bai ziet het somber in. Wu'er Kaixi en Wang Dang, onze belangrijkste leiders, hebben laten weten dat ze het beleg op 30 mei willen stopzetten. Anderen willen wel nog doorgaan. De man, die in Canada en de Verenigde Staten nog zo beloofde ons te steunen, heeft ons de rug toegekeerd en steunt nu de staat van beleg, al noemt hij ons nog steeds vaderlandslievend. Op een dergelijke schijnheiligheid spuwen we. Even laait het protest weer op als niemand minder dan Hou Deijang uit Taiwan met zijn gitaar bij ons komt zitten. Hij is hét rockidool van het moment. Hij zingt urenlang en duizenden van zijn fans voegen zich bij ons. Het mag allemaal niet baten. De regering blijft doof en blind. Het is onbegrijpelijk. Anderzijds durven ze ook niet op te treden. Daar klampen we ons aan vast, het is een goed teken. 'Of stilte voor de storm', zegt papa. En dat hij geen pessimist is maar een realist.

'Vergis je niet', waarschuwt hij ons. 'In hun fluwelen handschoen zit een boksbeugel. Ze wachten alleen op het goede moment.'

Op een ochtend, als Sheng-Du en ik van onze dagelijkse tai chi komen, is er op het plein een schermutseling gaande met een Amerikaanse journalist. Gisteren hebben kameraden een negen meter hoog vrijheidsbeeld van piepschuim en gips opgericht, een kopie van het beeld in New York. Ze hebben het als een opgeheven middenvinger pal tegenover het portret van Mao opgesteld, die ons land jaren geleden in een economisch moeras heeft gestort. De journalist heeft het beeld gefilmd, maar dat is absoluut niet naar de zin van de soldaten die hem betrappen. Ze eisen het filmrolletje op en vertrappen het voor zijn voeten, het geweer in de aanslag. Als de Amerikaan het V-teken maakt, krijgt hij prompt een klap tegen zijn kin met de loop van het geweer. Enkele omstanders willen de soldaten woedend te lijf gaan, anderen – ook Sheng-Du en ik – proberen hen te kalmeren voor het tot bloedvergieten komt, maar wraak zoekt een uitweg. In de volgende uren wordt het portret van Mao met poep besmeurd. Voor de soldaten is dat de stok in hun aars. Ze verkroppen het niet dat er op die manier de draak gestoken wordt met de Grote Roerganger. Het portret wordt vervangen door een kopie, maar die en de kopie daarvan en daarvan en daarvan ondergaan hetzelfde lot, tot ze het opgeven. Als ze niet het verbod om te schieten hadden gekregen, waren er beslist doden gevallen, nu brullen en klauwen ze alleen als getergde beesten in het wilde weg. 'Fysiek geweld is het verweer van de dommen', zegt Sheng-Du. 'Tot beter zijn ze niet in staat.' Hij vergist zich. De volgende dag krijgen we een koekje van eigen deeg. Drie soldaten, verkleed als Uncle Sam, komen de spot drijven met ons protest. De schaamte brandt dieper dan een letterlijke kaakslag.

Plots zijn de rollen omgekeerd en krijgen wij het moeilijk om hen niet eens stevig onder handen te nemen.

De strop om onze nek wordt aangehaald. Elke dag rukt het leger dichter naar het stadscentrum op. Verschillende barricaden hebben het begeven en het schijnt dat ze ook het spoorwegstation op ons heroverd hebben. Dat heeft Lian op de radio gehoord, maar misschien is het blufpoker. Dat hopen we. Toch smeekt ze Kun goed na te denken en niet uit koppigheid tegen de muur te lopen. Ze is bang dat hem iets zal overkomen, dan is Limei haar vader kwijt. Voor zichzelf wil ze niet spreken. Kun heeft gezwegen. Hij durft het haar niet te zeggen, maar als het moet, is hij liever een dode dan een laffe vader. Yin is het daar niet mee eens: we kunnen ons terugtrekken, leren uit onze fouten en volgend jaar sterker terugkomen. Met die mening staat ze vrijwel alleen en hoe dan ook is ze solidair. Ze blijft op post. Straks zal haar hulp broodnodig zijn. Dat weet ze gewoon. De grote confrontatie kan niet meer lang uitblijven. Ik vrees dat ze gelijk heeft. Dat denken we allemaal, maar haast niemand spreekt het uit, om niet beschuldigd te worden van het ondermijnen van de hoop. Ik zie geen hoop meer, alleen de koppige moed van de wanhoop. Lian heeft gelijk. Het is onmogelijk dat we het kunnen halen. We zijn nog maar met een fractie van wat luttele weken geleden nog miljoenen demonstranten waren. De meesten zijn opnieuw aan het werk gegaan. Papa ook, blij dat hij zijn werk niet kwijt was. Thuis zijn er monden te voeden.

De oude pijn rispt weer op en zet mijn slokdarm in brand. Mijn stembanden. Mijn keel. Waarom schreeuwen als toch niemand luistert? Waarom ben ik opnieuw beginnen te spreken? Degenen die mij willen horen zullen mij ook verstaan als ik zwijg en de anderen blijven doof voor eeuwig en altijd. Het heeft geen zin. Sheng-Du probeert me te overtuigen dat ik niet zo mag denken. Hij fluistert, met zijn lippen in mijn korte haar.

'We zullen het geprobeerd hebben, nachtegaal. Proberen is de hoop van de wereld. Ooit, op een dag zal het ons lukken.'

Ik wil geloven dat hij gelijk heeft, maar nu ben ik op. Ik leg mijn hoofd tegen zijn schouder. Haast op hetzelfde moment klinkt er geronk, dat snel dichterbij komt. Het komt uit de lucht. Een helikopter begint boven het plein te cirkelen en maant ons aan het te ontruimen. Het is nog steeds bloedheet, maar ik huiver in mijn dunne zomerjurk.

⁂

Op 3 juni proberen ongewapende soldaten het plein te ontruimen, maar met de steun van toch nog heel wat burgers kunnen we dat beletten. Het is een kleine opsteker, die snel in het niet verzinkt bij het bericht dat drie mensen stierven toen ze door een militair voertuig koelbloedig werden overreden. Dit is het bloedvergieten dat niemand van ons heeft gewild. Dit is ook het bloedvergieten dat bij velen om vergelding schreeuwt. Wat moeten we doen? Ons gewonnen geven als geslagen honden of doorgaan tot het bittere eind? Ik kan niet meer helder denken en laat me meesleuren in een koorts die alles wat verder gebeurt onwezenlijk maakt. Nu opgeven is Deng en consorten nog eens zo stevig in het zadel zetten. Ze zullen ons doen kruipen. Het zal erger zijn dan ooit.

Om halfzeven die avond roept het stadsbestuur de burgers van Beijing op om in het belang van hun eigen veiligheid van het plein en de straten weg te blijven. Ze willen een wig drijven tussen hen en ons door hen te doen geloven dat ze onschuldige slachtoffers zijn van onze misleidende campagnes. Als ze tot bezinning komen en zich van de onruststokers distantiëren, zal hen niets gebeuren. Velen trekken zich terug. Er zijn er die zich verontschuldigen, ze hebben een gezin, een oude moeder, anderen laten alleen hun hoofd en schouders hangen. We nemen het hun niet kwalijk, misschien benijden we hen zelfs. We wachten. We zijn bang. Om tien uur krijgen de soldaten de instructie op te rukken en Tiananmen voor zes uur in de ochtend te ontzetten. Ze krijgen carte blanche.

We hebben wachtposten uitgezet die regelmatig worden afgelost, zodat iedereen een paar uur kan slapen, of toch rusten, om klaar te zijn voor wat komen gaat. We hebben van in het begin geweten dat dit kon gebeuren, maar nu het zover is, overvalt het ons toch nog. Sheng-Du en ik liggen onder mijn lappendeken, met onze gezichten naar elkaar toe. Het maanlicht maakt zijn huid nog bleker en zijn ogen nog donkerder. Hij strijkt, zoals hij vaker doet, met zijn vinger over mijn lippen.

'Ik wil je stem horen, Huan. Zeg mijn naam nog eens.'

'Sheng-Du. Sheng-Du, Sheng-Du, Sheng-Du.'

Hij glimlacht.

'Als er iets met me gebeurt, moet je weten dat ik van je hou. Meer dan ik ooit van iemand gehouden heb.'

'Zeg toch niet van die enge dingen.'

'Ik dacht dat het een liefdesverklaring was', probeert hij een grapje te maken.

'Je weet wat ik bedoel.'

'Ik weet het, maar we moeten met alles rekening houden. Als mij iets overkomt, mag je de moed niet opgeven. Je moet dokter worden en doorgaan met onze strijd. Beloof het me, Huan.'

Ik knik, mijn stem gesmoord in tranen.

'En als je iets nodig hebt, ga dan naar mijn ouders. We zijn niet getrouwd, maar je bent mijn vrouw. Dat weten ze.'

Even denk ik: we kunnen ook weggaan, nu kan het nog. We zouden naar mijn dorp kunnen gaan en trouwen en kinderen krijgen. Ik weet hoe je een rijstveld moet bewerken. Ik spreek niet uit wat ik denk. Ik zou niet kunnen weggaan. Op een of andere manier ben ik ook hier in Tao's naam. Om tegen onrecht en machtsmisbruik te schreeuwen. Ik geef mijn stem nooit meer af. Het zijn de daders die van schaamte moeten zwijgen.

Rond halftwee gaat het bericht van mond tot mond dat de troepen in aantocht zijn. Het verspreidt zich als een lopend vuur. Honderden tanks en pantserwagens rukken op vanuit het westen. Het is nog maar een kwestie van tijd voor ze hier op Tiananmen zullen aankomen. Op ieder kruispunt zou slag geleverd worden, maar het is bij voorbaat een verloren strijd. De soldaten zijn tot de tanden gewapend, met machinegeweren, explosieven en bajonetten, en ze schuwen niet die tegen de ongewapende burgers te gebruiken. Overal is sprake van doden. Honderden gewonden. We hebben gefaald. Niemand van ons wilde onschuldig bloed aan zijn handen. Het roept een haat in me wakker die ik meteen herken. Even zie ik mijn broer weer over de reling van de brug hangen. Uitdagend. *Later word ik ook soldaat!* Als hij niet verdronken was, stonden we hier straks misschien tegenover elkaar. Zo mag ik niet denken. Hij was een kind, wist hij veel. Papa zou het nooit hebben laten gebeuren. Maar Tao's woorden komen telkens terug. Ik ben bang dat ik moet overgeven.

We zijn uit onze slaapzakken en tenten gekomen en zitten aangeslagen bij elkaar, in een kring, hand in hand. Ik probeer tevergeefs Kun naar huis te sturen. De anderen steunen me, bevestigen dat hij ruimschoots zijn deel heeft gedaan.

'Vaders zijn onmisbaarder dan helden', probeert ook Sheng-Du op hem in te praten, maar Kun kan een stijfkop zijn, dat weet niemand beter dan ik.

'De revolutie is ook een kind van me. De revolutie is er ook voor mijn kind. Voor alle kinderen, ook die van jullie straks. Zij zijn de toekomst van China.'

Ik probeer hem niet langer te overtuigen. Ik vraag hem alleen voorzichtig te zijn. Hij omhelst me en noemt me zijn zusje zoals die andere keer en het voelt alsof ik dat ook echt ben. Soms denk ik dat hij me zelfs beter kent dan Sheng-Du of mijn vader. Hierna omhelst iedereen iedereen. We wensen elkaar geluk en een lang leven en de bescherming van de voorouders toe. En als het geluk ons toch in de steek zou laten, zullen degenen die overblijven elkaar troosten en voor elkaar blijven zorgen.

'Ook voor papa en mijn grootouders?' vraagt Shu me opnieuw.

'Dat heb ik beloofd. En jij voor mijn vader?'

'Waar is hij?'

'Ik heb hem naar huis gestuurd. Eerst wilde hij niet, tenzij ik ook ging, maar ik heb hem bezworen dat ik hem daar straks nodig heb.' Wat zijn muren en een dak zonder armen om je heen?

Bai geeft een fles rijstwijn door, waar we allemaal een slok van nemen, als een soort van bloedbroederschap. Daarna is het tijd om onze rugzakken in te pakken. Ik vouw mijn lappendeken op en duw mijn gezicht in de stof. Ze heeft de geur van liefde en slaap.

Het tumult komt gestaag dichterbij, toch duurt het wachten eindeloos. Het is slopend. Af en toe bereiken ons berichten van ooggetuigen die wisten te ontkomen. Mensen fluisteren ze door. Rij na rij na rij. De gruwel stond op hun gezicht gebeiteld. Dat vertellen ze erbij.

Een meisje dat hoorde dat haar jongere broer gedood was, was zo blind van verdriet dat ze huilend recht op de soldaten af liep. Ze was ongewapend. Ze stak alleen haar armen vooruit alsof ze naar hem zocht, het donker aftastte, de wereld die zonder hem leeg was. De soldaten schoten op haar. Gewond viel ze op de grond en terwijl ze daar lag te kronkelen en te kermen van de pijn, bleven ze op haar schieten. En schieten. En schieten ... Sheng-Du heeft nog geprobeerd het nieuws voor me verborgen te houden, maar de afschuw echode uit zoveel kelen tegelijk dat ze in mijn oren nog altijd op haar aan het schieten zijn. Buiten mezelf van pijn en razernij krimp ik in elkaar en sla ik mijn armen aan mijn lijf, alsof ik daar haar kogelgaten voel en het niet te stelpen bloed. Ik schreeuw.

'Moordenaars! Ik maak jullie kapot!'

Sheng-Du hurkt naast me. Als hij een arm om me heen wil slaan, duw ik hem weg. Ik wil niet rustig zijn. Ontredderd staart hij me aan.

'Laat mij maar even', klinkt een vertrouwde stem. Kun hurkt tegenover me en neemt mijn handen in de zijne.

'Huan? Kijk naar me.'

Ik ben bang, maar zijn stem is zacht, een magneet voor verdriet.

'Goed zo, zusje. Ik heb je gehoord. Echt wel. Ik sta aan jouw kant. Geloof je me?'

Ik knik, met een zwaar, traag hoofd en hij glimlacht.

'Ik beloof dat we haar zullen wreken, Huan. Haar en haar broer. En Tao ook. Maar dan moet je nu rustig zijn en een beetje water drinken. Wil je bij Shu gaan zitten?'

Ze reikt me een glas aan en slaat een beschermende arm om me heen, die ik nu wel kan toelaten. Ik beef en als ik drink, klapperen mijn tanden tegen het glas. Vanuit mijn ooghoek zie ik Manchu en een paar anderen fronsen, de vraag naar Tao en het verband met het dode meisje op hun lippen, maar Sheng-Du bezweert hen. Later. Niet nu.

Hij kijkt naar Shu en is jaloers, gekwetst. Hij begrijpt het niet. Hij zit drie stappen bij me vandaan en het lijken er drieduizend. Ik steek mijn arm naar hem uit als een brug en hij komt naar me toegekropen, op handen en knieën, en legt zijn wang tegen mijn hand. Niet zo heel ver weg klinken schoten.

'We moeten een strategie afspreken', zegt Bai. 'Ik weet niet wat straks het beste is: samenblijven of ons verspreiden. Waarschijnlijk is het laatste veiliger.'

'Vergeet het! Ik denk er nog niet aan', zegt Shu. 'Als het moet ga ik liever samen dood dan alleen te blijven met het idee dat ik je heb achtergelaten.'

'En ik blijf bij Huan', antwoorden Sheng-Du en Kun als uit één mond.

'Wat denk jij, Manchu?'

'Ik stem ook voor samenblijven. Misschien bestaat er een kans dat we elkaar kunnen helpen. En als er toch iets zou ... Ik weet gewoon liever wat er met jullie gebeurt dan in onzekerheid te zitten. Er zal chaos genoeg zijn. Ik wil straks geen uren hoeven rond te dolen om jullie terug te vinden.'

De meerderheid heeft beslist, maar tussen wens en werkelijkheid maken de anderen vaak het verschil.

***

Het gedreun van de tanks over de straatstenen was te horen lang voor ze in ons gezichtsveld verschenen. Nu staan ze er, donkere, logge monsters, afgetekend tegen de groenzwarte nacht. Ze hebben Tiananmen omsingeld en drijven ons als beesten naar het midden, naar ons Vrijheidsbeeld, als varkens om een trog. Misschien hopen we nog één fractie van een seconde dat het alleen een indrukwekkend staaltje van machtsvertoon is, louter bedoeld om ons te intimideren, weg te jagen, op de knieën te dwingen. Hou Dejian, een van onze belangrijkste aanvoerders, doet door een megafoon een wanhopige oproep tot de soldaten. Hij schreeuwt dat ze op het punt staan een geweldige vergissing te begaan. 'Wij, hier in Beijing, hebben altijd naar een vreedzame oplossing gestreefd. Dat willen we nog steeds. Al de rest zijn leugens. Jullie werden misleid!'

Het is een schreeuw in de woestijn. De meeste soldaten zijn arme, vaak ongeletterde drommels van het platteland. Het woord 'democratie' is iets van het westen. Iets elitairs voor arrogante intellectuelen, rijkeluiszoontjes die niet weten wat werken is en op hen neerkijken. Dat is het verhaal dat zij gehoord hebben, dat ze geloven. De taal van straks rinkelende soldij.

'Leugens! Jullie vallen de staat aan, dan moeten wij jullie voor zijn!'

'Nee, wacht! Ik wil onderhandelen!'

Dat wordt toegestaan en Hou Dejian haalt een bestand uit het vuur. Een doffe zucht van opluchting golft over het plein. Voor zeven uur zullen we Tiananmen verlaten hebben.

Het is nu twintig voor vijf. Tussen het verschijnen van de tanks en dit moment is maar een dik kwartier verstreken. Het lijkt een mensenleven.

Geslagen, verslagen, zetten we ons in beweging. Een trage stroom van vier-, vijfduizend studenten en solidair gebleven burgers. Op dat ogenblik wordt, totaal onverwacht, het vuur geopend, eerst op ons Monument, maar al snel ook op ons. We worden compleet verrast, enerzijds door het verraad zelf, anderzijds ook door de hoek waaruit het komt. Hoe kan het dat niemand van ons heeft gedacht aan het netwerk van tunnels dat onder het plein door loopt? Met duizenden komen de militairen uit de buik van de Grote Hal van het Volk naar buiten, hun automatische geweren, van bajonetten voorzien, in de aanslag. Ze schieten om te raken.

Verbijsterd kijken we naar elkaar, naar het visioen van de hel dat op ieders netvlies is gebrand. Sheng-Du verstevigt zijn greep om mijn pols. Zijn hand is nat van het zweet. Waar is Kun? Vlakbij, goddank. En daar is Bai, maar Shu is opgeslokt door de gillende, elkaar verdringende, vluchtende menigte.

'Hebben jullie haar gezien?'

Bais blik is verwilderd van angst. We moeten het hoofd schudden en zien hoe ook hij ondergaat in de mensenzee om haar te zoeken.

Er is niemand die niet vlucht voor zijn leven, alleen, een uitweg is er niet. Gevangen in ons eigen net, zonder mazen, geprangd tussen de tanks en onze eigen mensen. Sommigen gaan in blinde wanhoop de soldaten te lijf, met flessen, met alles wat ze vinden, met blote vuisten. Vlakbij schreeuwt Manchu het uit. Een bajonet heeft zijn bovenarm opengehaald. De mouw van zijn hemd is gescheurd, de stof kleurt rood van het bloed. Het stroomt over zijn vingers, waarmee hij probeert de snee dicht te duwen. Kun vloekt, 'klootzakken', trekt zijn T-shirt uit en probeert er de wond mee af te binden. Hij is te nerveus. We kunnen ook niet blijven staan, overal getrek, geduw. Ook het T-shirt kleurt rood, roder en roder, terwijl Manchu steeds bleker wordt. Hij is in shock. Op zijn gezicht ligt een verlammende schijn van verbazing. Hij moet naar een verzorgingspost voor hij doodbloedt.

Buiten zinnen grijpt Kun de dichtstbijzijnde soldaat vast.

'Niet doen!' schreeuw ik. We moeten maken dat we wegkomen.

Hij heeft zijn vuist al in het gezicht geramd, de neus in de hersenen. Voor Manchu. En voor dat meisje en haar broer. Voor Tao.

De soldaat zijgt neer, met wegdraaiende ogen vol ongeloof. Ik ben er zeker van dat hij dood is. Hij is niet ouder dan wij. Een jongen nog, die misschien ook maar moet gehoorzamen zoals destijds die andere jongen, die Tao niet achterna mocht duiken. Bevel is bevel. Maar dat beeld wijkt voor het gezicht van Manchu, en voor dat van het meisje dat recht in hun armen haar dood in liep. Ik geef de soldaat een schop. En wil nog, voor Tao. En opnieuw, voor mijn moeder. Handen sleuren me mee. En sleuren Manchu mee, die nauwelijks meer op zijn benen kan staan.

Iets is veranderd. Een nieuw geluid heeft zich aan de al bestaande kakofonie toegevoegd. Daarmee gepaard gaand is de grond onder onze voeten beginnen trillen. We weten wat het is. Het ondenkbare. De tanks en de pantserwagens hebben zich opnieuw in beweging gezet en komen dieper het plein opgereden. Van waar wij staan is het niet goed te zien, maar we kunnen het raden en het wordt doorgezegd, sneller dan de kogels kunnen gaan. Honderden vrienden hebben zich in een rij opgesteld, arm in arm, om de tanks op te wachten. In die tanks zitten vaders, broers. Het kan niet anders of ze zullen stoppen. Tot zoveel laffe wreedheid kan toch geen mens in staat zijn? Toch? Maar ze rijden door en walsen over onze vrienden heen, en je denkt dat je hun gebeente, hun schedel, hun oogkassen, hun vingernagels onder de rupsbanden kunt horen kraken. Anderen vormen een nieuwe rij, in blinde razernij, met de moed der wanhoop, omdat er niets meer te verliezen is, geen vrijheid, geen ideaal, zelfs geen leven meer, het is een kwestie van seconden, alleen hun zelfrespect en dat geven ze niet op. Niemand gelooft nog echt hier heelhuids uit te komen. Het Plein van de Hemelse Vrede is het Plein van de Hel geworden.

De tanks vermorzelen alles en iedereen wat op hun weg komt. Mensen, tenten, gekwetsten die voorlopig in de tenten zijn ondergebracht, een moeder die haar baby de borst geeft, ons Vrijheidsbeeld, een zwerfhond. Intussen blijven de soldaten schieten op alles wat beweegt. Andere militairen slaan met stokken of riemen. Overal worden mensen neergemaaid en afgeslacht. Wie kan vluchten, wordt door anderen onder de voet gelopen of doet het zelf. Iemand trapt een van mijn schoenen uit en dezelfde seconde is hij onvindbaar in het gedrang, geschop, gestamp. Sheng-Du brult, 'achteruit iedereen', en scheurt stukken van mijn lappendeken om die om mijn blote voet te binden voor hij door schoenen of laarzen verpletterd kan worden.

Ik schreeuw. 'Niet mijn deken!' Ik probeer het uit zijn handen te rukken, schop, sta op het punt in zijn vingers te bijten. 'Alsjeblieft, niet mijn deken.' Hij geeft een klap in mijn gezicht, zegt 'het spijt me, Huan', met ogen vol tranen, zegt het nog een keer, en ik knik, knik, beschaamd tot in het merg. Ik verdien hem niet. Hij hurkt en bindt de lappen om mijn voet. Wat van de deken overblijft, stopt hij terug in mijn rugzak.

'Kom.'

'Je bent sneller zonder mij. Loop, Sheng-Du. Loop zo hard als je kunt.'

'En jou achterlaten? Al moest ik je dragen!'

Hij en Kun dragen Manchu al, die meer dood dan levend tussen hen in hangt. Zo strompelen we met ons vieren voort, geen richting uit, alleen voort, waar er even een plaats is om je voet neer te zetten. Over gewonden, lijken, studenten en soldaten, plassen bloed. We proberen elkaar te waarschuwen. 'Pas op, links van je!' 'Scherven, Huan!' 'Bukken!' Overal klampen mensen zich aan ons vast, aan onze armen, onze benen. 'Help me! Laat me hier niet sterven!' Of ze kermen alleen, of brullen het uit van de pijn. Het geeft ons kippenvel en de neiging om te braken, maar helpen kunnen we niet.

Het is een wonder dat we ongedeerd door de regen van kogels bij een verzorgingspost raken. Voor Manchu dringt de tijd. Hij heeft het bewustzijn verloren. In de tent is de chaos al net zo groot als buiten. Kameraden rennen door elkaar, en doen wat ze kunnen. Overal liggen gewonden, soldaten naast studenten en burgers, zelfs naast doden. We zien nergens een plek waar we Manchu kunnen neerleggen. Hij ademt nog, maar zwak. Er is bijna geen polsslag meer.

Onder de dokters herken ik enkele professoren, helaas geen dokter Wong. Het had me vertrouwen gegeven, maar hij zal ergens anders bezig zijn. Ik herken ook studenten van de hogere jaren. En daar is Yin. Terwijl ze zelf druk bezig is, geeft ze links en rechts instructies. Haar jeans en lichtblauwe hemd met de opgestroopte mouwen zitten onder het vuil en het bloed. Grote zweetvlekken onder haar oksels. Om haar hoofd zit een rode band met in zwarte letters de woorden 'Hoop, Geloof en Liefde'. Als ze even moet opkijken, herkent ze ons, steekt een hand op en glimlacht zelfs doorheen de vertwijfeling in haar ogen. Duizend en nog eens duizend vragen.

'Leg hem maar hier', roept ze, op Manchu doelend, nadat ze twee helpers opgedragen heeft een dode naar buiten te dragen. Ze wrijft door haar ogen en komt naar ons toe. 'Ze hebben zelfs geen plaats om te sterven', zegt ze. Ze klinkt opstandig, maar haar schouders zijn afgezakt. De last is te zwaar. 'Wat is er met hem?'

Ze wacht het antwoord niet af, heeft de mouw van zijn hemd al verder opengescheurd en onderzoekt de wond.

'Op zich is de snee niet dodelijk, maar hij heeft veel bloed verloren. Het is goed dat jullie de arm hebben afgebonden.'

'Redt hij het?'

'Hij heeft een transfusie nodig. Hoe langer het duurt...'

Kun barst in snikken uit. Hij wil niet dat we proberen hem te troosten. Manchu gaat misschien dood en aan zijn eigen handen kleeft bloed. Hij draait zich om en loopt een eind weg.

De stof van het T-shirt plakt in de wond en Yin moet ze voorzichtig losknippen.

'Hij zou een tetanusinjectie moeten hebben. Hebben jullie die bajonetten bekeken? Vol viezigheid en roest.'

'En heb je ...?'

'Nee. Ik kan alleen de snee hechten. Met wat geluk heb ik nog net genoeg draad.'

'En een ziekenwagen?'

Ik stel de vraag omdat ik moet blijven geloven dat er een miljoenste van een kans is dat ze 'ja' zal zeggen, 'ja, ze zijn onderweg, nog even ...' Ze werpt me een blik toe alsof ze me zo de huid gaat vol schelden.

'Ze blijven beter weg voor ze hen ook vermoorden', zegt ze kortaf.

Ze hecht de wond. Verdoving heeft ze niet meer, ook geen andere pijnstillers. En voor bloed is het wachten op het Rode Kruis.

'Misschien kunnen ze er nu wel vlug doorheen', zegt ze zacht, als om het goed te maken. Dan buigt ze zich weer over Manchu heen die, weer half bij bewustzijn, kreunt met op elkaar geklemde tanden.

Al de tijd dat Yin met Manchu bezig was, werd er van alle kanten een beroep op haar gedaan. 'Hier is iemand die ...' 'Wat moet ik met ...' 'Waar is ...' En dan is er plots een windstilte, binnen, waar zelfs het kreunen even lijkt op te houden, als in het oog van een storm, terwijl buiten het schieten, rennen, schreeuwen ... onverminderd doorgaat. Yin ziet er grauw uit. Uitgeput.

'Wil je thee?' vraag ik haar. 'Is hier ergens thee voor je? Of koffie of water?'

'Het water is voor hen' – ze wijst om zich heen naar de gekwetsten – 'en de rest is op.'

Ik geef haar mijn fles.

'Drink maar op.'

Wat ze doet. Gulzig. Daarna vraagt ze of we Bai en Shu nog hebben gezien. We moeten het hoofd schudden. Zij ook niet. Misschien is het een goed teken. Ja, misschien.

Twee jongens komen de tent binnen. Ze ondersteunen een soldaat.

'Bij vergissing geraakt door een van zijn eigen makkers.'

Er lekt bloed uit een hoofdwond. Niemand zegt: laat hem creperen, het is de vijand.

Er liggen nog soldaten tussen de studenten en de burgers. Even vuil of vaak vuiler, bezweet, ongeschoren. Ze komen binnen met paniek in hun ogen, de angst voor vergelding. Ze zijn verbaasd dat ze geholpen worden. Sommigen beginnen te huilen. Ze zijn inderdaad belogen. De mensen van Beijing zijn vredelievend. Ze zorgen beter voor hen dat hun eigen legerleiding. Ze hebben geen dokters, geen verpleegmateriaal, niets.

Het oog van de soldaat die zo-even is binnengebracht, hangt uit de kas. Yin roept een van de anderen erbij om haar te helpen, maar bij het zien van de man en de wond loopt het meisje naar buiten, met een hand voor haar mond.

'Wat moet er gebeuren?' vraag ik.

'Ontsmetten. Vergeet je handen niet.'

Ik zeg niets. Ik glimlach. Straks word ik dokter. Plots merkt ze dat ik maar één schoen meer heb.

'Kijk straks maar achter de tent. Daar hebben we de doden gelegd.'

'Ik ga wel', biedt Sheng-Du aan.

Een uur geleden hadden we dat lijkenpikkerij genoemd.

❖❖❖

Het schieten gaat nog uren door, al wordt het minder hevig. We zijn op de hulppost gebleven, ik om Yin bij te staan en Kun en Sheng-Du om de ingang van de tent te verdedigen. Op een paar incidenten na hebben ze ons ons werk laten doen. Intussen is de toestand van Manchu verslechterd. Zijn polsslag is zeer zwak. Yin zegt het niet, maar ik weet het. De tijd dringt.

Buiten maakt de dageraad de slachting zichtbaar. Overal, op en naast elkaar, liggen lichamen. Wie kermt of kronkelt van pijn, leeft tenminste nog. En overal bloed, rotzooi, schoenen, scherven, afgerukte of inderhaast achtergelaten rug- en slaapzakken, een afgehouwen vinger, dekens, kapotte flessen, braaksel, uitgepoepte angst en pijn. Daartussen dolen mensen rond. Op zoek naar bekenden. Soldaten op zoek naar hun compagnie. Die dolende mensen, zonder onderscheid van vriend of vijand, zijn nu het doelwit. Op hen wordt geschoten. In blinde gehoorzaamheid. Op alles wat beweegt. Zo luidde het bevel. En om straks niet van landverraad of desertie beschuldigd en zelf gefusilleerd te worden.

We staan voor de ingang van de tent. Een uitgeput, verfomfaaid hoopje mensen. Ik in te grote schoenen. Het is ruim halfacht. Normaal is het nu volle ochtendspits, maar vandaag ligt de stad lam. Boven de daken van de huizen drijven dikke, zwarte rookpluimen die je, boven op de gewone smog, de adem benemen. De enkelen die het er toch op wagen naar hun werk te gaan, verspreiden berichten van vuurhaarden overal, van in brand gestoken autobanden en voertuigen, de niet te harden stank, de sluier van roet die zich op alles vastzet. In sommige wijken zou de stroom uitgevallen zijn en de telefoonlijnen verbroken. Het schijnt ook dat er overal razzia's worden gehouden, een heksenjacht op studentenleiders. Wat moeten we doen? Is papa ongedeerd? En Lian en Limei? Hebben ze hen onder druk gezet? Liefst willen we naar huis, maar lopen we dan niet recht in de val?

Het gedreun van de tanks is stilgevallen en vervangen door het af en aan rijden van ziekenwagens, die de gewonden en de doden naar de verschillende ziekenhuizen afvoeren. De ambulanciers, die bij ons de laatste mensen komen oppikken, beweren dat voor elke twee lichamen die zij in het ziekenhuis binnenbrengen er minstens één door het leger weer naar buiten wordt gehaald. Hoe lager ze het 'officiële' aantal slachtoffers naar de buitenwereld toe kunnen houden, hoe schoner hun handen, zeker als het westen over de muur komt kijken. En hoe onbeduidender ons protest. We maken ons geen illusies over wat de kranten zullen schrijven. Waar waren ze, de Amerikanen? Vooral Kun is nijdig op hen. Sheng-Du klinkt milder. Is het gerechtvaardigd om een wereldwijd inferno te riskeren om een plaatselijke brand te blussen?

Bij de meesten van ons is de stemming gedeprimeerd tot gelaten. We hebben meer dan alleen maar niet gewonnen. We hebben verloren, hoop, mensenlevens. Zo wil ik niet denken. We waren solidair. Het geweten van het volk heeft met één stem gesproken. Moed heeft het gehaald van lafheid en gemakzucht. Ik maak me kwaad en zo wil Sheng-Du me horen, maar Sheng-Du is niet genoeg.

'De wereld moet het horen', zeg ik. 'Ik wil niet nog een keer de vergissing begaan te zwijgen. Onze schreeuw mag niet opnieuw verstommen.'

'Wat wil je dan doen?'

'Schrijven. Ineens wist ik het, toen je dat stuk van mijn deken scheurde om mijn voet te verbinden en ik zo buiten mezelf raakte. Ik was er zo van overtuigd dat ik niet zonder kon, maar dat is niet zo. De deken heeft gedaan wat ze moest, maar nu is de tijd van schuilen voorbij. Ik ben niet meer klein. Nu wil ik een lappendeken van zinnen maken. Niet om in de woorden weg te kruipen, maar net om eruit te kruipen. Een verhaal dat groot genoeg is om mijn verdriet en mijn woede uit te schreeuwen, maar ook mijn geloof, mijn hoop, mijn liefde.'

'En de moed om je karma te keren. Ooit komt die dag.'

'Ja, Sheng-Du. Het zijn jouw woorden. Zolang je niet dood bent, is er een morgen.'

❋❋❋

De deur van Kuns appartement is ingestampt. Binnen ligt een stoel omgegooid. De grond is bezaaid met papieren en andere dingen die inderhaast uit kasten en laden zijn getrokken. Ze staan wijd open. Bewijsmateriaal kunnen ze hier niet gevonden hebben, dat ligt op de universiteit, maar wat ze niet hebben, maken ze wel. Daar draaien ze hun hand niet voor om. Van Lian en Limei geen spoor. We doorzoeken alle kamers, roepen. Net als we het ergste beginnen te vrezen, komt de overbuurvrouw de overloop opgelopen. Ze fluistert, achter haar hand, de muren kunnen oren hebben.

'Ze zijn gevlucht. Op het nippertje. Een oudere heer heeft hen helpen ontkomen.'

'Weet u ook waar ze naartoe zijn?'

De vrouw schudt het hoofd. Dat is ook maar beter. Als de soldaten terugkomen, kan ze niets verraden. De angst puilt nog uit haar ogen.

'Ik heb hun niets verteld', fluistert ze.

'En die heer,' vraag ik, 'hoe zag hij eruit?'

Ze beschrijft papa. Hij moet het zijn.

Kun wil meteen naar ons huis. Dat hij het appartement niet kan afsluiten, is bijzaak. Daar staan alleen materiële dingen. Maar zijn vrouw, zijn kind! Hij had toch moeten blijven. Hij jammert dat het zijn eigen grote stomme schuld is. We proberen hem moed in te spreken.

'Papa heeft hen vast in veiligheid gebracht.'

'Ja,' aarzelt hij, 'ja, vast wel.'

De buurvrouw belooft een oogje in het zeil te houden.

Hij loopt snel. Op die te grote schoenen kan ik hem maar moeilijk bijhouden. Hij luistert niet. Sheng-Du zegt: 'Ze zijn waarschijnlijk zelfs ergens anders, thuis zoekt de politie toch eerst.' Waar dan wel?

Intussen gaan de gevechten nog altijd door, maar in kleinere haarden. Overal in de straten komt het tot botsingen tussen burgers en soldaten. Van geweldloos verzet is niets meer te merken. De nietsontziende manier waarop het leger het plein heeft ontruimd, heeft kwaad bloed gezet. Vanaf nu is het oog om oog, tand om tand. We zijn er getuige van hoe een soldaat door een paar mannen bijna wordt gelyncht. We proberen hen tegen te houden. 'Stop! Dit is niet wat wij hebben gewild.'

'En wat willen wij, denk je?'

De woede van de mannen keert zich tegen ons.

'Jullie hadden misschien beter eerst nagedacht! Het kleinste kind wist dat dit zou gebeuren. Geven jullie me mijn zoon terug, mijn zus, onze neef?'

De soldaat heeft de benen genomen en dat gooit nog meer olie op het vuur. We mogen van geluk spreken dat het bij een scheldpartij en een paar rake klappen blijft. Sheng-Du houdt er een bloedneus aan over en Kuns ribben zijn gekneusd, als ze al niet gebroken zijn. Mij hebben ze ongedeerd gelaten, ik moest alleen mijn stomme kop houden, zij zouden zelf wel bepalen wanneer ze wilden stoppen. Dan laten ze ons gaan en slaan zelf een andere richting in, ik vermoed op zoek naar een ander slachtoffer. De woede is nog niet uit hun vuisten.

Sheng-Du duwt zijn zakdoek tegen zijn neus. Ik bekommer me om Kun, die dubbelgeklapt is van de pijn.

'Gaat het?'

'We moeten verder. We hebben al te veel tijd verspild. We hadden ons er niet mee mogen bemoeien.'

'Ben je nu kwaad op me?'

'Ach. Laat gewoon zitten.'

In een bedrukte stemming lopen we verder naar mijn huis, nerveus voor wat we daar zullen aantreffen. Op het eerste gezicht lijkt alles in orde. De deur is op slot, intact. En binnen is niets overhoopgehaald. Alleen de stilte alarmeert me. We durven niet te roepen vanwege de buren. We wonen hier nog niet zo lang en ik weet niet of ze te vertrouwen zijn. Het is Kun die Lian vindt. In de slaapkamer, in elkaar gedoken tussen de kast en de muur, met Limei op haar schoot. Ze lacht en huilt tegelijk. Kun huilt ook. Ik neem de baby op mijn arm.

'Ik was zo bang', snikt ze, zodra ze weer een beetje in staat is om te spreken. 'Toen ik de deur hoorde opengaan, dacht ik dat jullie soldaten waren.'

Kun houdt haar vast alsof hij haar nooit meer los wil laten, en streelt over haar rug.

'Wat is er gebeurd?' vraag ik. 'Waar is papa?'

'Gaan werken, om geen argwaan te wekken. Ik kan mama en papa niet bereiken, de telefoonverbinding is afgesneden. Volgens je vader is het bij hen minder veilig dan hier. En jullie ... Waar zijn de anderen? Is iedereen oké?'

'Manchu is in het ziekenhuis.' Als hij daar tenminste niet van zijn bed wordt geplukt, maar dat spreken we niet hardop uit. 'Yin zei dat er een kans is dat hij het redt, als er bloed beschikbaar is. Zijzelf ging proberen een paar dagen bij een tante buiten Beijing onder te duiken. Wat er met Bai en Shu gebeurd is weten we niet. Zijn de soldaten ook hier geweest?'

'Ook?'

Kun vertelt het haar. Ze wordt heel bleek en heel stil. Ze neemt Limei van mijn schoot en slaat haar armen als een schild om haar heen. Ze wiegt haar, met haar lippen sussend tegen het schedeltje. Ik herhaal mijn vraag. Pas na de tweede keer kijkt ze op, afwezig, met uitgebluste ogen.

'Ja. Je vader heeft gezegd dat hij niet wist waar je was. Hij zei dat je al een tijd niet meer naar huis kwam. Fout vriendje en zo. Dat als ze je vonden, ze je van hem een pak rammel mochten geven, dan kreeg je je gezond verstand misschien terug.'

'En geloofden ze hem?'

Even grinnikt ze als ze vertelt hoe overtuigend hij klonk.

'Er is een acteur aan hem verloren gegaan.'

Ik kan er niet om lachen. Het is ronduit beangstigend dat ze hem zo snel wisten te vinden. Blijkbaar worden we voortdurend in de gaten gehouden. Als de buren maar te vertrouwen zijn. Ze zullen Limei horen huilen. Lian heeft zich over de baby gebogen, alsof ze haar het liefst terug in haar baarmoeder zou stoppen. Ze wiegt het kind en zichzelf. Over haar hoofd wissel ik een bezorgde blik met

Kun, die haar wil troosten, maar aan de buitenkant is haar lichaam een bolster. Ik ben er vrijwel zeker van dat ze kwaad op hem is.

Sheng-Du zet de tv aan en ik ga maar thee zetten. Als we weer samen zitten, spreken we op gedempte toon. De nieuwsberichten voorspellen weinig goeds. Er zijn toespraken van de partijtop, die het leger en de politie uitvoerig feliciteren met hun overwinning, tegelijk klinkt er een niet mis te verstane waarschuwing. De strijd is nog niet gestreden. Een klein aantal militairen zou overgelopen zijn. De steun van de bevolking is onontbeerlijk om een burgeroorlog te voorkomen. Alle oproerkraaiers moeten zo snel mogelijk worden opgepakt en daarom wordt iedereen opgeroepen verdachte elementen zonder schroom aan te geven. Het is een burgerplicht. Een aantal studenten is al ingerekend en momenteel kammen ze nog altijd de universiteiten uit. Van de meest gezochte leiders worden opsporingsberichten en foto's getoond. Van onze groep is alleen Sheng-Du erbij. Ik verstijf. We verstijven allemaal. Mijn bloed bevriest. Alleen Limei is zich van geen kwaad bewust en zuigt tevreden aan de borst van haar moeder.

'Het is waarschijnlijk dat deze personen zullen proberen het land te ontvluchten', zegt de woordvoerder van Li Peng. 'De toekenning van uitreisvisa zal strenger worden.'

Er wordt nog eens herhaald dat al wie opstandelingen helpt onderduiken of ontsnappen berecht zal worden als landverrader.

Met stomheid geslagen kijken we elkaar aan. Lian houdt de baby werktuiglijk op voor een boertje. Ik denk opnieuw dat de buren haar zullen horen huilen. Ze kunnen hier niet blijven en papa in gevaar brengen. Prompt schaam ik me voor mijn gedachten. Mijn vader is een beter mens dan ik. Ik wil ook niet opnieuw leven vanuit achterdocht.

'Ze kunnen ons toch niet met honderdduizenden opsluiten of executeren', zeg ik, maar het klinkt nog steeds weifelend.

Na het bloedbad kunnen we alles verwachten. Ze dekken zich in met de meest doorzichtige excuses. De rubberen kogels waren op, daarom hebben de soldaten met scherp moeten schieten. En tanks in plaats van waterkanonnen en traangas, zeker! Denken ze echt dat iemand dat slikt? Het westen is niet achterlijk!

Sheng-Du speelt met de vingers van mijn hand.

'Ze zullen voorbeelden stellen', zegt hij somber. 'De kopstukken zullen moeten vallen.'

'Jullie moeten weg uit China', zegt Kun. 'Zo vlug mogelijk.'

'Maar man! Je hebt ze toch gehoord! Extra controles op uitreisvisa.'

'Ik laat papa niet achter', zeg ik.

Kun wil nog iets zeggen, maar ik draai me om. Ik wil het niet horen. Einde gesprek. Ieder van ons kruipt in zijn eigen wormstekige gedachten. Het knagen in mijn hoofd is niet te harden.

Mijn vader komt pas na achten thuis, ruim anderhalf uur later dan gewoonlijk. Het geluid van de sleutel die omgedraaid wordt in het slot doet ons weer uit onze holen komen. Iedereen springt op en gooit zijn ogen weer open. Onze woorden kruipen uit hun schil. Huilend van opluchting vlieg ik mijn vader om de hals. Hij beeft. Hij is een oude man. Ik haast me een beker thee voor hem uit te schenken en de rijstschotel die ik heb klaargemaakt met wat overschotjes kip en groenten in de oven te schuiven. We hebben op hem gewacht om te eten.

'Je bent zo laat', zeg ik ongerust.

'Het wemelt onderweg van de patrouilles. Ik heb geprobeerd ze te ontwijken. Voor de Amerikaanse ambassade ziet het zwart van mensen die het land uit willen.'

We vertellen hem wat we op tv gehoord en gezien hebben.

'Er moet een oplossing zijn', zegt hij. 'Jullie kunnen hier niet blijven. Het geluk dat vandaag met jullie was, kan niet eeuwig duren. Naar wat ik gehoord heb, is het een wonder dat er nog zoveel mensen zijn die het er levend vanaf hebben gebracht.'

'Als dat geluk nog even aan onze kant staat, heb ik een oplossing', zegt Kun. 'Toen mijn moeder een paar weken geleden hier was, heeft ze valse papieren meegebracht. Zij en papa hebben dit voorzien. Het is stom dat ik niet meteen gekeken heb of ze er nog lagen.'

Na het eten vertrekt hij. Hij omhelst iedereen. Elk afscheid kan er een voor altijd zijn.

'Over een uur moet ik terug kunnen zijn', zegt hij. 'Als ik niet terugkom, probeer dan Lian en Limei bij mijn ouders te krijgen.'

In ons dorp.

Ik beloof het. Het lijkt de heerlijkste plek op aarde.

Het is lang geleden dat een uur zo eindeloos leek te duren en als het dan eindelijk om is, was het te kort. Kun is nog niet terug. Ik zet nog een pot thee. Zelfs Limei voelt de spanning, want ze valt maar niet in slaap en blijft hartverscheurend huilen. Ze is met niets of bij niemand te troosten. Om de beurt lopen we met haar rond, haar wiegend en sussende woordjes toefluisterend.

'Misschien moet hij ook omlopen voor patrouilles', probeert mijn vader ons moed in te spreken.

Ja, misschien.

Van de wandklok kijken we maar weer tv, waar dezelfde berichten steeds opnieuw worden uitgezonden. Alleen de aantallen die genoemd worden, veranderen voortdurend. Dat van de slachtoffers gaat in dalende lijn. Volgens papa waren de soldaten daarstraks het bloed al van het plein aan het schrobben. Dat kunnen ze van de stenen, maar niet van hun handen, in geen eeuwigheid, hoezeer ze de cijfers voor de rest van China en de wereld ook verdraaien. Het aantal opgepakte dissidenten daarentegen stijgt elke keer en we vrezen dat die cijfers wel stroken met de waarheid.

Tussen de berichten door worden nieuwe beelden van de razzia's getoond. Ineens herken ik Dong, met nog een jongen. Het moet de radioamateur zijn. Er gaat een schok door me heen. Je ziet soldaten een kelder binnenvallen en hen op heterdaad betrappen. De zend- en ontvangstinstallatie wordt op de grond gegooid en kapotgetrapt. Dong en zijn vriend worden overmeesterd en geboeid weggevoerd. Als de vriend zich verzet, krijgt hij de kolf van een geweer tegen zijn gezicht. Het bloed loopt uit zijn mond, een kreet ontsnapt me. Ik vertel het aan de anderen en begin te snikken. Het wordt me allemaal te veel. Ik wil naar ons rijstveld. Ik wil naar huis. Sheng-Du neemt me in zijn armen. Lian heeft het ook niet meer. Ze vloekt en loopt naar het raam. Er klinken nog steeds schoten, sirenes. Limei, die even was stilgevallen, begint opnieuw te huilen.

'Ik pak haar wel', zeg ik.

Ik heb amper de daad bij het woord gevoegd of er wordt op de deur geklopt.

'Ik ben het.'

Papa laat Kun binnen, die er verhit en uitgeput uitziet en zich voorzichtig vanwege zijn gekneusde ribben op een stoel laat zakken.

Sheng-Du heeft zich verdekt bij het raam opgesteld en kijkt naar buiten.

'Ik ben niet gevolgd', zegt Kun. 'Dat denk ik toch. In dit land kun je van niet veel meer zeker zijn. Maar ik heb Shu gezien, ze was op weg hiernaartoe. Daarom ben ik zo laat.'

Mijn hart maakt een sprong van blijdschap. Ze is ongedeerd.

'En Bai?'

'Bai is dood. Een kogel in zijn buik. Ze waren wel bij elkaar, dat is haar enige troost. Toen hij viel, heeft ze zich instinctief ook op de grond gegooid. Daar is ze urenlang voor dood blijven liggen, tot de mensen van het Rode Kruis hen kwamen opladen. Voor Bai was het te laat. Hij was op slag dood, zegt ze. Hij zei haar naam nog, toen was het gedaan.'

Dat kan niet, dat mag niet waar zijn. Dat hebben deze dagen ongetwijfeld duizenden mensen gedacht. Het is geen troost. Ik ben zo, zo kwaad.

'Ik wil naar haar toe', zeg ik. 'Waarom is ze niet met je meegekomen?'

'Als het haar gelukt is, en laten we onze vingers gekruist houden, zou ze nu de stad uit moeten zijn. Over enkele weken komt ze terug, als de heksenjacht wat geluwd is. Ze wilde weten hoe het ons was vergaan. Ze omhelst jullie.'

We zijn stil geworden. Het nieuws moet bezinken. Limei is intussen naar Kuns schoot verhuisd. Hij speelt nerveus met haar miniatuurvingertjes terwijl ik zijn glas, dat hij in één keer heeft leeggedronken, nog eens vol water schenk.

'Wij moeten ook weg', zegt hij tegen Lian. 'Zo snel mogelijk. Ze zijn nog een keer teruggekomen en onderweg heb ik gehoord dat ze de drukkerij ondersteboven hebben gekeerd. De papieren lagen gelukkig nog onder de vloerplank.'

'Voor hoeveel man heb je er?' vraagt mijn vader.

'Voor Huan en Sheng-Du. Lian en ik gaan naar mijn dorp. Mijn ouders zullen helpen.'

'En onze spullen dan?' vraagt Lian.

'Dat zijn maar spullen. We zullen aan je ouders vragen of ze de deur laten herstellen en een oogje in het zeil houden. Als we op onze stek zitten, kunnen ze de belangrijkste dingen nasturen.'

'Dat klinkt alsof we nooit meer terugkomen. Mijn ouders. Ons werk ... Waar zullen we van leven?'

'We vinden wel iets.'

Ik zie Lian slikken. Ik zou haar willen vertellen hoe mooi het is in het dorp, hoe groen en stil. De zonsondergang boven de rijstvelden. Ze heeft haar gezicht gesloten, zoals een huis, met luiken voor haar ogen en oren. Een traan glijdt over haar wang. Kun probeert haar te troosten, heel zacht. Haar en zijn dochter.

Ik kijk naar Sheng-Du.

'Ik wil ook naar het dorp', zeg ik. 'Ik wil niet naar Amerika.'

Ineens verlang ik hevig naar mama en Tao. Bijna wanhopig probeer ik hun gelaatstrekken scherp te krijgen, maar het beeld blijft wazig. Mama's geur daarentegen lijkt vlakbij, die mengeling van citroengras en rozenblaadjes. Sheng-Du antwoordt niet. Mijn vader wordt boos.

'Dit is niet het ogenblik om koppig te zijn', zegt hij.

'Wanneer wel?'

Limei slaapt eindelijk. Lian neemt haar van Kun over en legt haar in de reiswieg. Kun schuift de envelop met de papieren over de tafel in onze richting.

'Ze waren voor jullie bedoeld', zegt Sheng-Du. 'We kunnen ze niet aannemen.'

'Ik blijf in China. Ik wil verder gaan met de strijd. In het dorp zijn we veilig. Daar geloven ze nog altijd dat mijn familie voor de Partij werkt. Jij en Huan moeten gaan. Jullie zijn het meest in gevaar. Hebben jullie pasfoto's?'

'In mijn portefeuille', zegt Sheng-Du. 'En jij, Huan?'

'Ik heb er een', zegt papa. 'Je weet toch dat we er hebben laten maken voor je inschrijving aan de universiteit?'

Ontdaan kijk ik van hem naar Sheng-Du. Er is geen sprake van dat ik meega. Ik ben het beu dat alles voor me bedisseld wordt. Als we in ons dorp gebleven waren, was er niets gebeurd.

'Ook de goede dingen niet, Huan', zegt papa. Hij klinkt moe. Hij is het vechten moe. 'Doe het voor mij. Ik kom na, zo snel als ik kan.'

'Ik ben er zeker van dat mijn vader voor papieren kan zorgen', belooft Kun. 'Je bent mijn zusje, Huan. Ik lieg niet tegen je.'

'Amerika is zo ver, zo anders.'

'Het is de vrije wereld. Ze zullen er naar jullie luisteren. Ze zullen Deng afrekenen op dit bloedbad. Economische maatregelen zullen de duimschroeven aandraaien. Voor je het weet zijn er democratische verkiezingen, dan komen jullie terug. Misschien volgend jaar al.'

'We gaan', beslist Sheng-Du.

Hij kijkt naar mij en ik haal de schouders op.

'In een democratie beslist de meerderheid', zeg ik. 'En in China de man.'

'Niet op die manier, nachtegaal. Dan vertrek ik liever niet.'

'Het is goed, Sheng-Du. Ze vermoorden je als je blijft.'

'Goed', zegt Kun. 'Dan breng ik jullie over, zeg maar over twee uur, naar onze contactpersoon. Hij zal vervoer regelen tot aan de grens en daar krijg je dan verdere instructies. Neem alleen het hoogstnodige mee. Zal dat lukken?'

'We zullen klaar zijn', zegt Sheng-Du. 'Alles komt goed, Huan. Je zult wel zien.'

'Ja, je zult snel weg zijn van Amerika', zegt Lian.

'Wat je denkt! Wolkenkrabbers en uitlaatgassen. Sorry, jongens, ik kan even niet ...'

Ik draai me om en loop de kamer uit. Achter mijn rug klinkt gestommel, maar dat gaat weer liggen als papa zegt dat ze me beter even alleen kunnen laten. Na een paar minuten komt hij me achterna. Hij gaat op de rand van het bed zitten, waar ik op mijn buik lig, en streelt over mijn haar.

'Het is al goed gegroeid', zegt hij. 'En op zo korte tijd. Ik zweer je, Huan, voor het tot je schouders komt, zijn we weer bij elkaar.'

'Ach, papa. Je kunt zoveel zweren als je wilt. Ze zullen je niet laten gaan.'

'Al moet ik kruipen, Huan. Op handen en voeten. Geloof je me?'

'Jou wel, papa. Jou wel.'

* * *

Ik heb mijn leven niet langer in de hand. Er schieten zoveel gedachten door mijn hoofd dat het tolt. Ik krijg ze niet helder. Ze vormen ook geen geheel. Het is een voortdurend voorbij en door elkaar flitsen van kometen, net zo snel weer weg als ze gekomen zijn.

Mijn vader zoekt wat ondergoed en T-shirts bij elkaar voor Sheng-Du, die het niet riskeert om naar zijn eigen huis te gaan, hoe vreselijk hij het ook vindt dat hij geen afscheid kan nemen van zijn familie. Hij weet zelfs niet hoe het met hen is. Hij vreest het ergste. Het lijdt geen twijfel dat de politie bij hen is binnengevallen. De kans is zelfs groot dat ze daar op hem zitten te wachten. Als hij gaat, zijn ze er allemaal geweest. Zolang hij spoorloos is, zullen ze hen misschien in leven laten en in de gaten houden in een poging achter zijn schuilplaats te komen. Hij geeft papa hun telefoonnummer en de huissleutel, daarna plakt hij onze pasfoto's op de papieren.

Ik zoek kleren voor mezelf bij elkaar. Mijn gehavende lappendeken moet mee. Foto's. De lippenstift die ik een leven geleden van papa kreeg. Hij duwt me ook mama's urne in de armen. Ik mag niet tegenspreken. Binnenkort zijn we weer bij elkaar.

Ik schrijf op wie er van ons vertrek op de hoogte moet worden gebracht. Yin en Manchu, als hij hen vindt en als Manchu het haalt. Dokter Wong ook. Het werk niet, ik vertrouw mijn baas niet. En papa mag ook niet vergeten bij de grootouders van Shu langs te gaan, ze moeten weten dat ze is ondergedoken.

'Ik schrijf je zodra we in Amerika zijn', zeg ik.

'Daar zullen we het onderweg over hebben', zegt Kun. 'Ze zullen de post openen, zeker post uit het buitenland. Je zult met tussenpersonen en met codes moeten werken.'

'We vinden elkaar nooit terug.'

'Vertrouw op het netwerk, Huan', smeekt Lian, met een hand op mijn arm. 'We zullen alles doen wat we kunnen.'

'Natuurlijk. Het spijt me. Ik wil het jullie niet nog moeilijker maken. Ik ben alleen zo bang.'

'Wie niet?' vraagt papa. 'Maar angst is een waarschuwingsbordje, geen stopteken.'

Hij geeft me een envelop met geld dat hij opzij heeft gelegd. Om de eerste dagen door te komen. Dan is onherroepelijk het moment van afscheid nemen aangebroken. Ik voel mijn hart scheuren. Een deel zal altijd hier blijven en de helften zullen zolang ik leef naar elkaar blijven verlangen. Sheng-Du, die me de allerlaatste seconde met papa gunt, draagt de weinige spullen die we meenemen naar de auto, nadat hij eerst zeven keer links en rechts gekeken heeft of niemand ons bespiedt.

Een voorlaatste omhelzing. De laatste.

Instappen. Mijn gezicht tegen het raampje plakken. Ik wil niet huilen, want dan wordt het beeld wazig en ik wil hen blijven zien tot de allerlaatste minuut. Natuurlijk huil ik toch. En zwaaien en huilen en zwaaien.

Om de bocht verdwijnen.

Rijden rijden rijden. Sheng-Du zit naast Kun, ik zit op de achterbank, verdoofd door verdriet. Alleen de angst is scherp. Elke keer dat we een patrouille kruisen, en er zijn er veel, krijg ik hartkloppingen. Het is onbegrijpelijk dat ze ons niet doen stoppen, we moeten een speciale engelbewaarder hebben. Na meer dan een uur laten we de stad achter ons met een gevoel van eindelijk, van voorgoed. Het heimwee knaagt al, naar een stad, een land, een dorp.

De nacht valt. Hier zijn de straten niet langer verlicht. Af en toe wrijft Kun door zijn ogen. In de achteruitkijkspiegel zie ik ook hoe zijn gezicht af en toe vertrekt bij een verkeerde beweging. Sheng-Du heeft aangeboden het stuur over te nemen, maar dat werd afgewezen.

'Het is het laatste wat ik voor jullie kan doen.'

We vervallen weer in stilzwijgen. Er is te veel dat nog gezegd moet worden en te weinig tijd. We zouden de helft weer moeten inslikken en er zit al een brok in onze keel. Laat de stilte maar spreken, huilen, omhelzen.

Kilometer na kilometer. Dorp na dorp. Tot het begint te klaren.

Kun stopt in een arbeiderswijk met allemaal dezelfde grauwe betonnen woonblokken. Hij zegt dat we moeten blijven zitten, terwijl hij poolshoogte gaat nemen. Bij een van de blokken belt hij aan. Het duurt even voor op de verdieping een venster opengaat en het gezicht van een man verschijnt. Zonder dat ze een woord gewisseld hebben, gaat het raam weer dicht. Kun komt naar ons toe.

'Jullie kunnen uitstappen. Hier neemt Yalin het over.'

Hij pakt onze spullen uit de koffer, denkt te laat aan zijn ribben, lacht gesmoord.

'Ik kan jullie zelfs niet behoorlijk omhelzen.'

'Zorg dat jullie veilig in het dorp komen', zeg ik. 'En zorg voor papa. Voor papieren.'

'Alsof het voor mijn eigen vader was.'

'Hier, een munt. Koop er perziken van voor op Tao's graf.'

Hij stopt het geldstuk in zijn broekzak. Dan is het afscheid onverbiddelijk.

'Kom goed thuis in jullie nieuwe land. En vergeet ons niet. Spreek over onze strijd.'

'We schreeuwen het van de wolkenkrabbers', belooft Sheng-Du.

'En van elke snipper papier die er te vinden is.'

De man die Kun Yalin heeft genoemd, is in de deuropening verschenen.

'Jullie kunnen beter naar binnen gaan, voor het verdacht wordt', zegt Kun.

We volgen Yalin door de gang en een steile trap naar de kelder. De houten treden zijn smal en oneffen en er is geen leuning en maar weinig verlichting. Het ruikt er vochtig, naar aarde. Op een houten rek staan glazen potten met ingemaakte groenten. Tot onze verbazing blijkt het rek open te draaien als een deur, waarachter een tweede kelder verborgen zit. Er is net voldoende plaats voor twee veldbedden, een tafeltje en één stoel. In een hoek staat een nachtemmer met een deksel.

'Het is geen hotel,' zegt Yalin, 'maar normaal gesproken zitten jullie hier veilig.'

Het zijn de eerste woorden die uit zijn mond komen. Ik schat hem een jaar of zestig, forsgebouwd, en met een ruw gezicht en opvallend grote handen.

'Het is in orde', antwoordt Sheng-Du voor ons beiden. 'We zijn u zeer dankbaar.'

'Mijn vrouw zal driemaal per dag iets te eten brengen. Zij zal zien of het veilig is. Dan kunnen jullie even naar buiten, de emmer legen op de mesthoop ... Ik weet niet hoe lang jullie hier moeten blijven. Het hangt ervan af hoe snel ik vervoer kan regelen. Met de huidige situatie duurt dat wellicht langer dan anders. Ik doe mijn best. Hoe sneller, hoe veiliger voor iedereen.'

'En in Amerika? Zijn daar mensen om ons op te vangen?'

'Alles op zijn tijd. Kom niet naar buiten, tenzij mijn vrouw jullie toestemming geeft. Ze heet Chen. En houd deze deur dicht en maak zo weinig mogelijk lawaai.'

Hij sluit de kelder af met het wandrek. We zijn alleen. We kunnen hier niet weg. Bij een razzia zitten we als ratten in de val.

Ik ga op het bed zitten. De lucht is dik. Koud is het ook. Ik pak mijn lappendeken en sla het om me heen.

De tijd tussen twee bezoeken van Chen duurt eindeloos. Gelukkig brengt ze de krant mee, als haar man er klaar mee is, al weet je nooit wat je van het nieuws mag geloven. Ze houdt ons ook op de hoogte van de berichtgeving op radio en tv, maar daar geldt dezelfde censuur. Het enige betrouwbare nieuws is wat haar en Yalin via contactpersonen bereikt.

Het aantal gearresteerden loopt elke dag op, intussen zijn het er meer dan duizend vijfhonderd. In Beijing worden acht kameraden ter dood veroordeeld. De executie gebeurt een week later, voor een menigte van duizenden gelaten, murw geslagen toeschouwers, als afschrikwekkend voorbeeld. Onze dichtste vrienden zijn er niet bij, dat is de enige troost, maar onvoldoende om de pijn en de woede te blussen. Elke kameraad is een broer, een zus. Bai is dood, Manchu misschien ook. Inmiddels is het al eind juni. Normaal hadden we onze examens afgelegd, hadden we geslaagd kunnen zijn om over te gaan naar het volgende jaar. Sheng-Du had zijn diploma kunnen behalen. De lente van Beijing is voorbij zonder dat het zomer wordt. We lijden onder het wachten in de kelder, maar we mogen niet klagen, wij zijn nog bij de gelukkigen. Elke dag hoop ik tevergeefs op nieuws van papa of van Kun en Lian, Sheng-Du op een bericht van zijn ouders. Chen zegt dat het veiliger is als er niets komt. Boodschappen kunnen onderschept worden, zeker met de noodtoestand die nog steeds van kracht is.

Terwijl Sheng-Du de krant leest, pak ik mijn blocnote. Ik ben begonnen mijn verhaal op te schrijven. Terwijl het de tijd doodt, geeft het mij mijn verleden terug, waarin ik wortels hoop te vinden voor de toekomst.

Ik had verwacht dat we 's nachts niet zouden kunnen slapen, maar zowel Sheng-Du als ik lijken geveld door een haast onoverkomelijke vermoeidheid, die ongemerkt overgaat in moedeloosheid. De tijd kruipt, dagen duren eindeloos, en toch is het ineens half juli. Onze hoop om hier snel weg te kunnen, taant. Yalin en zijn vrouw vallen we er niet mee lastig. Ze lopen zelf ook op hun tenen. Het is te riskant. De patrouilles aan de grens zijn nerveus, licht ontvlambaar.

De enige momenten waarop we ons beter voelen is als Chen het licht op groen zet om even naar buiten te gaan, terwijl zij de omgeving nauwlettend in de gaten houdt. Onze uitstapjes duren nooit langer dan een kwartier. We zuigen onze longen zo vol frisse lucht dat ze bijna barsten. En we lopen heen en weer, heen en weer, tussen de rijen sla en prei, maar we moeten dicht bij het huis blijven om zo nodig meteen van de aardbodem te verdwijnen. In plaats van de vijf stappen van binnen hebben we er hier tien. We slaan geen minuut over, zelfs niet als het pijpenstelen regent zoals gisteravond. Ik had nog uren in de regen kunnen staan, kletsnat worden, tot op mijn huid, en wakker worden en springen en dansen en vanbinnen heel hard zingen en juichen en voelen dat ik nog leef.

Op 23 juli is Chen later dan anders met het ontbijt. Haar ogen zijn bloedrood en gezwollen. Voor we iets kunnen vragen valt ze met de deur in huis.

'Jullie moeten hier weg. Een van onze mensen is vannacht opgepakt.'

Ik voel mijn benen slap worden.

'Wat zal er met hem gebeuren?'

'Het is mijn zus. Ik weet het niet.'

'Dan zijn jullie ook in gevaar.'

'Shao zwijgt wel. We hebben pillen voor het geval we gefolterd worden.'

'Toch geen zelfdoding?' Ik kan een huivering niet onderdrukken.

'Liever dan door hen', zegt Chen kort. 'Houd jullie klaar.'

Ze wil weggaan, maar ik pak haar bij de arm.

'Chen? Ik hoop dat het goed komt met je zus.'

Ze glimlacht even. Ze is zoveel moediger dan ik. Ik denk dat ik liever een ideaal wil verliezen dan de mensen waar ik van hou, dan mijn eigen leven.

Het wachten is slopend. We schrikken van het minste geluid, zelfs van het vertrouwd geworden geritsel van de muizen in de andere kelder of van het water dat door de leidingen loopt. Mijn lappendeken en blocnote zijn ingepakt, de krant ligt ongelezen op tafel. Sheng-Du ijsbeert, ik word er gek van.

'Kom bij me zitten.'

Hij knielt voor me neer en begraaft zijn hoofd in mijn schoot. Een snik ontsnapt uit zijn keel.

'Ik heb je hierin meegesleept', zegt hij.

'Stop! Ik had ook nee kunnen zeggen. Alles komt goed.'

Ik streel over zijn hoofd. Zijn haar is stoffig. Om ons te wassen moeten we ons behelpen met een emmer en een jerrycan. Ik snak naar een douche en schone kleren. Ik streel en streel en met elke haal probeer ik de angst te bezweren, die ook mijn keel dichtknijpt.

⁂⁂⁂

Even over elven is het zover. We worden opgepikt door een taxi. Yalin verzekert ons dat de chauffeur te vertrouwen is, maar dat we hoe dan ook beter doen alsof we echt broer en zus zijn, Li Wei en Li Yan, in allerijl vertrokken omdat onze moeder in Qingdao op sterven ligt. Dat is het verhaal als we onderweg door de politie zouden worden gecontroleerd. De voorbije dagen hebben we ons de details ingeprent. Daar en toen geboren. We werken allebei in dezelfde conservenfabriek. Vader ook gestorven, arbeidsongeval in de haven, al vijftien jaar geleden. We waren nog klein, herinneren het ons niet. Moeder moest de kost verdienen, wij groeiden op bij haar ouders, in Beijing, zagen haar alleen in een vakantie hier en daar.

De chauffeur geeft ons een hand.

'Ik ga me niet voorstellen', zegt hij. 'En jullie ken ik niet. Ik wil tijdens de rit ook geen woord horen over jullie echte verleden of toekomstplannen. Mijn naam is haas.'

Toch is hij niet onvriendelijk. Zijn ogen gaan schuil achter een grote zonnebril, maar zijn mond heeft een weemoedig trekje. We nemen afscheid van Yalin, bedanken hem. Chen laat zich niet zien en in de opgelegde sfeer van anonimiteit durf ik niet te vragen of er nieuws is van haar zus.

'Bedank ook uw vrouw namens ons', zegt Sheng-Du. 'We hopen dat alles goed komt voor jullie.'

Hij stopt Yalin discreet een klein gevouwen bankbiljet in de hand. Dat hebben we zo afgesproken. Voor de goede zorgen en voor de goede zaak die na ons verder moet gaan. Als we konden, hadden we meer gegeven. Yalin bedankt met een knikje en wenst ons geluk. Als we in de taxi zijn gestapt en blijven wuiven, zien we Chen achter het raam. Ik denk dat ze een zakdoek voor haar mond houdt. Haar schaduw kruipt rillerig onder mijn huid.

Vanaf ons vertrekpunt tot in Qingdao is het over de grote wegen ruim achthonderd kilometer, maar de chauffeur verkiest landwegen met het oog op mogelijke patrouilles. Snel wordt duidelijk dat we minstens drie dagen over het traject zullen doen. We stoppen om de vier uur. De motor moet afkoelen en wij kunnen onze benen strekken, iets eten, iets drinken. In een tankstation kunnen we plassen. Sheng-Du betaalt de benzine. Voor de eerste dag hebben we van Yalin een lunchpakket meegekregen, daarna moeten we onderweg eten kopen, ook voor de chauffeur. Ons budget slinkt snel en we weten niet wat ons nog te wachten staat of waar we in Amerika van zullen leven. Ik heb de voorbije dagen veel nagedacht. Over dokter worden heb ik een kruis gemaakt. We moeten zo vlug mogelijk Engels leren en werk vinden. Misschien verdien ik na een poos genoeg voor ons beiden zodat Sheng-Du zijn opleiding kan afmaken. Ze zeggen dat in Amerika alles mogelijk is. Het is het land van belofte. Papa kan bij ons komen wonen. Het is onze droom om hem voor het Chinese Nieuwjaar bij ons te hebben.

Onderweg hoeven we gelukkig geen geld uit te geven aan een hotel, het netwerk heeft overal adressen. De ontvangst gebeurt discreet, afstandelijk, anoniem, maar dat is enkel een beschermlaagje. Daaronder kloppen de harten zoals bloed in de enorme navelsteng die ons met elkaar verbindt. Als we de volgende ochtend weer vertrekken, is dat met volle magen en gevulde drinkbussen en nog een paar boterhammen en appels voor onderweg. We zijn verlegen het aan te nemen, maar met het te weigeren zouden we hen kwetsen.

De derde dag, tegen de avond, bereiken we Qingdao, in volle spits. De drukte en de benzinegeur van de stad overvallen ons, al is het maar een fractie van wat we in Beijing gewoon waren. De weken in de kelder bij Yalin en Chen en de voorbije dagen tussen velden en ingeslapen dorpen hebben onze immuniteit aangetast. Met de drukte komt ook het gevaar weer dichterbij. Op straat wemelt het van de politie en de mariniers. Het maakt de chauffeur nerveus. Hij rookt de ene zelfgerolde sigaret na de andere en in de achteruitkijkspiegel zie ik zijn ogen van links naar rechts schieten.

'De mariniers hebben hun basis hier in de haven', weet hij.

Die haven is voor hem ook het keerpunt. Zijn missie is volbracht. Met een dankbare handdruk geven we hem terug aan zijn gezin.

De eerste ogenblikken staan we verloren op de kade, met onze schamele bagage en in ons hoofd de naam van de boot en van de kapitein die ons naar Japan brengen. Als de goden het willen, heeft de taxichauffeur gezegd, maar ik geloof niet dat zij daar iets mee te maken hebben, niet meer, en ook niet de geesten van mama en Tao, alleen de soldaten. Ik ben bang dat ze op onze gezichten kunnen lezen wie we zijn. Aan een eetkraampje kopen we een wrap van sojascheuten en kip. We drinken er groene thee bij uit kartonnen bekertjes. Onze laatste maaltijd in China. Vanaf de bank kijken we naar de trage rivier, die zilver glinstert in het avondlicht. Boten glijden de haven in en uit, getrokken door sleepboten. Tussen de kolossen varen ook jonken en vissersloepen en de snelle, lawaaierige motorboten van de havenpolitie en de douane. Voor ons, op de balustrade die de kade afschermt, zitten misschien wel honderd meeuwen op een rij, met hun kop en hun snavel allemaal in dezelfde richting. Ze laten zich maar zelden opschrikken door de gestage mensenstroom, alleen als een kleine jongen met uitgestoken armen probeert er eentje te pakken. Het beeld van Tao schiet als een scherp stuk appel in mijn keel. Even krijg ik geen lucht. Ik hoest en de tranen lopen uit mijn ooghoeken over mijn wangen, waar Sheng-Du ze voorzichtig wegveegt.

'Vandaag mag je huilen om alles wat je achterlaat,' zegt hij zacht, 'maar morgen moet je blij zijn, Huan, dan zullen het de herinneringen zijn die je met je hebt meegenomen. Geen soldaat of geen grens kan ze afpakken of tegenhouden.'

Ik glimlach om hem geen verdriet te doen, maar het zien zoals hij het ziet, kan ik nog niet. Herinneringen zijn liefde die me voor altijd is ontnomen. Misschien als ik oud ben en de parels tel die ik aan mijn levensdraad geregen heb.

De zon zakt snel en kleurt de hemel in tinten van goud en koper. Sheng-Du staat erop om eerst alleen aan boord te gaan. Als hij over een uur niet terug is, is er waarschijnlijk iets fout gelopen en moet ik vluchten. Ik stribbel tegen, ik wil dat we samenblijven, maar hij snauwt dat ik niet stom moet doen en geeft me al het geld.

Zo mag hij niet weggaan! Ik roep hem terug, bij zijn echte naam, en hij draait zich om en ik begin te lopen en gooi me in zijn armen, terwijl ik hem honderdduizend lieve woordjes toefluister.

'Sheng-Du, Sheng-Du, Sheng-Du. Mijn liefste. Mijn leven.'

'Ik kom terug, Huan. Niet bang zijn. Wat er ook gebeurt, ik zal altijd een weg vinden om bij jou terug te komen.'

Ik ga opnieuw op de bank zitten, met mijn blocnote op schoot, maar de woorden willen niet komen. Ik ben te rusteloos. Keer op keer moet mijn blik hem in de voorbijgangers zoeken. Er is al een kwartier voorbijgegaan. Een oude man, met evenveel rimpels in zijn gezicht als hij jaren moet tellen, komt naast me zitten en begint een praatje. Ik krijg het benauwd en moet mezelf tot de orde roepen. Waarom zou ik bang voor hem zijn? Hij is oud en eenzaam. Zijn woorden spoelen als schelpen uit zijn mond. Na een kwartier ken ik zijn halve leven. Dan zie ik Sheng-Du mijn richting uit komen. Hij wenkt.

'Ik moet gaan', zeg ik tegen de oude man.

Hij kijkt.

'Is dat je vriend?'

Ik aarzel even.

'Ja.'

'Als het een goede man is, mag je hem niet laten wachten.'

Hij pakt mijn handen vast en wenst ons geluk. In een opwelling buig ik me naar hem toe en geef ik hem een zoen op zijn holle, stoppelige wang.

'Dag vadertje. Ik hoop dat jij nu ook snel naar jouw vrouw mag gaan.'

Hij knikt en met zijn melkachtige ogen kijkt hij naar de zee, waar hij al jaren elke dag naar komt kijken, wachtend op zijn veer naar de laatste haven.

Dan haast ik me naar Sheng-Du, die me ongerust bij de elleboog grijpt.

'Wie was dat? Met wie zat je te praten?'

Ik zeg het hem en zijn gezicht ontspant zich in een glimlach. Als hij zijn hand opsteekt, zwaait de man terug. Hier nemen we afscheid van China.

Een paar uur later, kort voor middernacht en net voor de loopplank binnen wordt gehaald en de trossen losgegooid, sluipen Sheng-Du en ik als dieven aan boord. Zolang we in Chinese wateren zijn, moeten we ons als verstekelingen schuilhouden in het ruim. De eerste minuten slaan onze harten als gekken en schrikken we van elk geluid. Vooral een motorboot, die ronkend dichterbij komt en naast ons schip lijkt aan te leggen, jaagt ons de stuipen op het lijf. Het kan maar twee dingen betekenen. Controle of verraad. Gestamp van laarzen en harde stemmen die vragen stellen en bevelen schreeuwen. Mannen komen de trap af! Sheng-Du en ik klampen ons aan elkaar vast in ons houten krat. We durven amper te ademen. Een van de mannen is de kapitein. Sheng-Du, die zijn stem heeft herkend, vormt het woord met geluidloze lippen.

'Rijstwijn, olie en een lading lychees', zegt de kapitein.

'Openmaken!'

Het geluid van hout dat kraakt en splintert onder een koevoet.

'Die krat ook. En die. Die daar. En die ook.'

Het klinkt vlakbij. Ik voel mijn tanden klapperen, tot Sheng-Du zijn mond op de mijne duwt en me kust, kust, kust tot de stemmen en de geluiden eindelijk wegsterven, het luik van het ruim naar het dek dichtklapt, de motorboot zich traag van ons schip verwijdert.

Uren verstrijken zonder dat we een idee hebben hoe laat het is. Het is te donker om onze horloges af te kunnen lezen. Af en toe dommelen we even in, maar even vaak schrikken we weer wakker van een geluid of omdat onze spieren verstijfd zijn. Ik heb dorst, maar durf niet te drinken. Mijn blaas staat al op springen. Als we praten, doen we dat op fluistertoon. Gelukkig zijn we niet zeeziek, al stampt en rolt het schip op de golven.

Na uren verandert er iets in de geluiden. Ook het rollen en stampen is minder geworden. Het lijkt alsof het schip stilligt, de motoren zwijgen. Boven ons hoofd op het dek lopen mensen druk heen en weer. Een stem schreeuwt bevelen die we niet verstaan. Het is geen Chinees. Nu kan het toch niet meer fout gaan? We houden ons hart vast. Na een tijd komt er toch weer beweging in het schip.

'Ik denk dat we gesleept worden', fluistert Sheng-Du. Zijn hart trilt tot in zijn stem, deze keer van opwinding. 'We hebben het gehaald, nachtegaal!'

Hij kust mijn handen en huilt van geluk.

Enkele ogenblikken later horen we het luik opengaan en daalt iemand de ladder af. De voetstappen komen recht onze kant uit.

'Jullie mogen naar buiten komen.' Het is de kapitein zelf. Hij schudt ons de hand. 'Welkom in Japan. Het is jullie gelukt. Jullie zijn vrij.'

'Dank u, dank u, dank u. Duizend maal dank.'

Met onze armen om elkaar heen lopen we achter hem aan naar het dek, waar we de frisse lucht en de dageraad met volle teugen in ons opzuigen. In de verte glinstert de kustlijn in de ochtendzon, boven ons hoofd de zilveren buik van een vliegtuig. Het is nog niet lang geleden opgestegen, trekt zijn landingsgestel in, zwenkt dan in een wijde boog naar San Francisco, over de Grote Oceaan. *The Pacific.* Als ik mijn ogen sluit, hoor ik hun stemmen op de lippen van de zee. Ze fluisteren, smeken, lachen, huilen, brullen, bidden, hopen, leven en sterven, haten, proberen te vergeven, hebben voor alles lief. Kun en Lian, papa, Shu, Yin, Manchu, Dong, Bai en Tao en mama, dokter Wong, de velen van wie ik de namen niet ken, Yalin en Chen, baby Limei, Sheng-Du en ik en het nieuwe leven in mijn schoot. Ik ben al elf dagen over tijd.

NAWOORD

Sinds de uitvinding van de fotografie bestaan er beelden die telkens weer overal ter wereld opduiken, doordat ze zo beklemmend of verbazingwekkend zijn. Een voorbeeld daarvan is het beeld van de 'tankman', een student die op 5 juni 1989 moederziel alleen voor een enorme, dreigende tank staat. Door zijn houding beteugelt hij heel even het geweld van het Chinese regeringsleger, dat toen op het sindsdien befaamde Tiananmenplein of het Plein van de Hemelse Vrede in de Chinese hoofdstad Peking, leidde tot de dood van duizenden betogers. Zij kwamen op voor het recht om openlijk kritiek op de regering te uiten, om zelf een eigen baan te kiezen, om naar het buitenland te kunnen reizen en om verkozenen van niet-communistische partijen in het parlement te krijgen. Zij wilden politieke hervormingen, het einde van de corruptie binnen de Communistische Partij en meer democratie. De wereld veroordeelde het bloedbad in Peking, maar de Chinese partijleiders slaagden er met ongeremd geweld toen in het communisme vrijwel onveranderd in stand te houden, terwijl dat in Oost-Europa zijn laatste dagen kende.

Ook in het begin van de twintigste eeuw was het een opstand die de keizer in het toenmalige keizerrijk China ten val bracht. China was verzwakt door wanbeheer en door de koloniserende houding van Japan en Europese landen. In 1921 werd de Communistische Partij opgericht. Die nieuwe partij had veel succes bij de talrijke straatarme en door de hogere kasten uitgebuite boeren in het land. In 1934 werd Mao Zedong de Grote Leider van de Communistische Partij. Hij moest afrekenen met allerlei tegenkantingen van de verdedigers van het oude regime, geleid door de landheren en de bezittende klasse, en met de gruwelijke bezetting door Japan tijdens de Tweede Wereldoorlog. Toch slaagde hij erin de Communistische Partij in 1949 aan de macht te brengen. De partij wilde gelijkheid, welvaart en respect voor alle mensen in het land brengen. Al snel bleek dat niet zo makkelijk te verwezenlijken. Vooral de herverdeling van het land in collectieve landbouwbedrijven werkte averechts. Mensen werken nu eenmaal minder hard als ze het niet voor zichzelf hoeven te doen. De landbouw bracht niet op wat verwacht was en ook de inspanningen die men leverde in grote waterbouwkundige projecten en in de lokale staalproductie op kleine schaal rendeerden niet. De heropvoeding van de boeren tot socialistische landbouwers werkte al evenmin als de systematische vermindering van hun rantsoenen en zware straffen.

Mao's vijfjarenplan van 1958, 'De Grote Sprong Voorwaarts', veroorzaakte enorme hongersnood en kostte samen met de Culturele Revolutie miljoenen mensen het leven. Na Mao's dood in 1976 werkte het bestuur van de Chinese Volksrepubliek wel aan een verbetering van de levensomstandigheden van de burgers. Toch maken de ook vandaag nog telkens weer opduikende berichten over de slechte werksituatie en de erbarmelijke levensomstandigheden van vele miljoenen Chinese burgers het begrijpelijk dat in 1989 zovele studenten het recht opeisten om mee te kunnen denken over de toekomst van hun land. Opmerkelijk is tegelijk dat zich sindsdien in China een nieuwe rijke klasse heeft ontwikkeld, die extreem luxueus leeft in vergelijking met de gewone boeren, de fabrieksarbeiders, de bedienden. Ook de grote Chinese middenklasse, waartoe ook studenten behoren, is niet meteen uit op verandering.

De export van Chinese producten naar de Verenigde Staten en Europa, de economische inmenging van de Chinese overheid in Afrikaanse landen zoals Zambia – met een golf aan investeringen om de natuurlijke rijkdommen van het land in handen te krijgen – het gigantische aandelenpakket van Chinese beleggers, banken en firma's in Amerikaanse en Europese bedrijven bewijzen dat China niet meer het kleurrijke, folkloristische land van honderd jaar geleden is. Het is een economische wereldspeler geworden, maar tegelijk heeft het inwendig nog steeds te kampen met armoede en ellende van velen. Misschien kan een derde grote politieke actie het startsein worden om voor dat probleem een echte oplossing te vinden, waarbij het niet meer om de macht van het politieke bestel gaat maar om het welzijn van de burger. Volgens de Chinese premier dreigt nu weer een historische tragedie zoals die van de Culturele Revolutie als de maatschappelijke problemen in het land niet krachtig aangepakt worden.

Intussen is het ook duidelijk dat de inwoners van China nog altijd in grote mate vasthouden aan hun eeuwenoude culturele tradities. Een mooi voorbeeld daarvan is het geloof in het verband tussen de twaalf tekens van de Chinese dierenriem en menselijke eigenschappen. Bij het begin van het Chinese nieuwe jaar komt voor de meeste Chinezen telkens ook een nieuw teken van de dierenriem op de voorgrond. Zo is 2012 het jaar van de draak. De aan dat fabeldier toegeschreven eigenschappen zijn geestdrift, trots, levendigheid, eigenwijsheid, extraversie en inspiratie. De slang, het teken in de Chinese dierenriem voor 1989 en 2013, staat voor intelligentie, geheimzinnigheid, sensualiteit, discretie, scherpe en actieve denkkracht, maar ook voor schijnheiligheid en vooringenomenheid. De karakterkenmerken die bij een bepaald jaar horen, kunnen een sterke rol spelen bij mensen geboren in dat jaar of bij mensen die die kenmerken al vertonen. Misschien hoort de studentenopstand van het Tienanmenplein tegen de dubbelzinnigheid van het communistische beleid – een beleid voor het volk maar niet door het volk – toch wel echt thuis in het jaar van de slang.

Herman de Graef

HEB JE DEZE BOEKEN AL GELEZEN?

Verkrijgbaar in de boekhandel
of via www.kinder-en-jeugdboeken.be

ISBN 978 90 5908 429 2

ISBN 978 90 5908 327 1

Omnibus met *Zes maal één is zeven – Leven op de rand – De hemel is geen huis*
ISBN 978 90 5908 366 0

Omnibus met *Ik kom je halen – Engel in rood – Mijn zoute zoen*
ISBN 978 90 5908 310 3

Van Erkel, Gerda
Het jaar van de draak

Blijde Inkomststraat 79, 3000 Leuven
www.davidsfondsuitgeverij.be
www.twitter.com/davidsfonds
www.facebook.com/davidsfondsuitgeverij

Vormgeving cover: Davidsfonds Uitgeverij
Omslagfoto: © Ludovic Maisant / Corbis
Vormgeving binnenwerk: Peer De Maeyer
D/2012/2952/20
ISBN 978 90 5908 450 6
NUR: 284
Trefwoorden: China, studentenopstand, vriendschap, verlies